MÅNS GAHRTON EVA & ADAM JA ODER NEIN ODER DOCH

MÅNS GAHRTON

JA ODER NEIN ODER DOCH

Aus dem Schwedischen von Maike Dörries
Mit Bildern von Johan Unenge

CARLSEN

1 2 3 04 03 02

Originalverlag: BonnierCarlsen Bokförlag AB, Stockholm
Originaltitel: Eva & Adam – Att vara eller inte vara ihop
Aus dem Schwedischen von Maike Dörries
Lektorat: Katja Schultze
Druck und Bindung: GGP Media, Pößneck
ISBN 3-551-55292-4
Printed in Germany

VERLIEBT, VERLOBT, VERHEIRATET

Als Eva klein war, hat sie ihren Freund geheiratet. Es waren weder Hochzeitsgäste noch ein Pfarrer anwesend. Nur Eva und Linus, der Bräutigam. Linus, genau wie Eva sechs Jahre alt, hätte eigentlich lieber Fußball gespielt. Aber Eva wollte Hochzeit spielen, also wurde Hochzeit gespielt. Sie waren über ein Jahr verheiratet, trotz Tobbes ständiger Frotzeleien von wegen ansteckender Mädchen- und Jungsbazillen, immer wenn Linus zum Spielen bei Eva war.

Tobbe hat sich seitdem kein bisschen gebessert. Aber er ist grade nicht zu Hause, und auch sonst niemand aus der Familie. Zum Glück, sonst wäre das jetzt unmöglich.

Eva ruft zum siebten Mal innerhalb von zwei Stunden bei Annika an.

»Noch acht Minuten!«

Annika kichert.

»Bist wohl nervös, was?«

»*Nervös?* Wie würdest du dich wohl an meiner Stelle fühlen?!«

Annika kichert wieder. Was ist denn das für eine beste Freundin, die die ganze Zeit nur kichert? Das macht

ja wohl jeden nervös. Wenn man es nicht sowieso schon längst gewesen wär.

»Er ist bestimmt noch nervöser als du«, sagt Annika.

Eva seufzt.

»Das hab ich gestern auch noch gedacht. Aber heute in der Schule hat er einen völlig normalen Eindruck gemacht. Ich kapier nicht, wie er so normal aussehen konnte. Soviel ich weiß, hat er noch nicht sehr viele Freundinnen gehabt!«

»Du hast doch auch ganz normal ausgesehen«, sagt Annika. »Mindestens genauso normal wie er.«

»*Ich?* Ich sah doch völlig *fertig* aus!«

»Und dabei warst du schon mal verheiratet!«

»Tschüss, mit dir kann man ja nicht reden!«

Neun Minuten später wählt Eva erneut Annikas Nummer.

»Ich sehe ihn. Er kommt!«

»Er ist zu spät«, sagt Annika. »Eine ganze Minute.«

»Stoppst du die Zeit, oder was?!«

»Ich bin inzwischen auch schon ganz nervös«, sagt Annika und kichert ein letztes Mal. »Viel Glück!«

Eva legt auf. Sie und Adam treffen sich heute zum ersten Mal, seit sie nicht mehr nur Freunde, sondern zusammen sind.

ALBERN UND KIEKSIG

Adam ist sicher, noch nie in seinem ganzen Leben so nervös gewesen zu sein. Und wahrscheinlich war auch noch niemand vor ihm so nervös. Andere Leute scheinen nie nervös zu sein. Jedenfalls nicht so nervös wie Adam. Das ist wirklich ungerecht.

Wie er wohl in der Schule ausgesehen hat? Nein, nur nicht dran denken. Bestimmt hat er die ganze Zeit wie eine Ampel geleuchtet, er kriegt nämlich sofort eine rote Birne, sobald ihm was peinlich ist. HALLO, NICHT DRAN DENKEN!

Alexander hat ihm auf dem Weg von der Schule nach Hause einen Glückstritt in den Hintern gegeben. Ob das was nützt?

»Immer voll drauf!«, hat er gerufen und gelacht. »Und warte nicht zu lange, bis du mit dem Knutschen anfängst! Du musst mir dann morgen alles erzählen!«

Knutschen! Adam bereut schon fast, dass er Alexander erzählt hat, was er heute Nachmittag vorhat. Er hat keinen Bock auf ein Verhör übers Knutschen.

Wie konnte Eva heute in der Schule nur so gleichgültig aussehen? Wahrscheinlich, weil sie vorher schon mal mit jemandem zusammen war. Das ist bei Adam nicht so. Er war noch nie mit einem Mädchen zusammen. Eva ist Adams allerallererste Freundin.

Es ist zwei Tage her, dass es passiert ist. Zwei lange, eigenartige Tage sind vergangen, seit das Allerseltsamste und Allerschönste zugleich passiert ist. Seit er erfahren hat, dass ausgerechnet sie, das Mädchen, in das er verliebt ist, auch in ihn verliebt ist.

Am ersten Tag nach dem Tag X, dem Zusammenkomm-Tag, ist Eva gleich morgens zu ihm gekommen und hat Hallo gesagt. Adam hat auch Hallo gesagt, beinah im selben Moment. Aber sein Hallo klang irgendwie albern und kieksig. Evas klang richtig gut. Unglaublich, wie gut ein Hallo klingen kann. Seitdem hat Eva fünfzehnmal Hallo zu Adam gesagt und Adam hat zwölfmal Hallo zu Eva. Alle Hallos von Eva klangen gut und alle von Adam albern und kieksig.

Viel mehr ist nicht gesagt worden. Jedenfalls nicht bis zur heutigen Mittagspause. Da hat Eva Adam nämlich gefragt, ob er nicht um vier Uhr bei ihr vorbeikommen möchte. Sie sei allein zu Hause.

Die letzten Schritte wird Adam langsamer. Er muss seine Füße regelrecht zwingen weiterzugehen. Sie gehorchen ihm, wenn auch nur widerstrebend.

Früher, als sie noch nur Freunde waren, war es schon aufregend genug, Eva zu treffen, weil Adam heimlich in sie verliebt war. Jetzt, wo sie zusammen sind, ist es noch viel aufregender!

Er blamiert sich garantiert. Total. Und dann macht sie Schluss, und tschüss.

Was muss man eigentlich machen, wenn man zusammen ist? Und *wie* macht man das, was man machen muss?

Sie muss den Anfang machen. Sie war immerhin schon mal mit jemandem zusammen. Und dann macht er es ihr nach, so einfach ist das. Deswegen braucht man sich doch keinen Kopf zu machen.

Er klingelt und Eva öffnet die Tür.

»Hallo«, sagt Adam. Albern und kieksig.

EINE HAND AUF DER DECKE

Als Eva klein war, wollte sie nie an der Hand gehalten werden. Wenn jemand sie an der Hand nahm, dann meistens, um sie festzuhalten, und das hat sie gehasst. Sie wollte selbst entscheiden, ob sie auf den höchsten Felsen kletterte, auf dem schmalsten Baumstamm balancierte, am steilsten Steilhang stand und aufs Meer hinunterguckte oder einfach allein durchs Kaufhaus schlenderte, um sich alle interessanten Sachen anzusehen, ohne dass jemand sie daran hinderte. Und wenn jemand sie an der Hand hielt, war das schließlich unmöglich.

Es ist lange her, dass jemand sie an die Hand genommen hat. Sie schielt zu Adams Hand rüber, die zehn Zentimeter von ihrer entfernt auf der Decke liegt. Diese Hand dürfte es gern versuchen.

»Das ist also dein Zimmer?«, sagt Adam.

»Ja. Es ist ziemlich klein.«

»Aber schön! Und ... das Bett sieht gemütlich aus.«

Sie kann sich ein Kichern nicht verkneifen, schluckt es aber schnell runter, als sie sieht, wie peinlich ihm das ist. Er wollte nichts Anzügliches sagen, so viel ist sicher. Adam ist erst seit zehn Minuten bei Eva, und sie sitzen

bereits auf ihrem Bett. Er scheint mindestens genauso nervös zu sein wie sie und ist nicht gerade gesprächig. Zehn Minuten. Die zehn längsten Minuten, die Eva je erlebt hat.

Er räuspert sich. Warum sagt er nichts, irgendwas, das die Sache ankurbelt, so dass sie anfangen miteinander zu reden? Eva selbst kriegt es komischerweise nicht hin. Wo sind all die Worte geblieben, die normalerweise wie ein Wasserfall aus ihr heraussprudeln?

So, er scheint sich fertig geräuspert zu haben. Jetzt mach schon!

»Äh … Wir sind jetzt also zusammen, oder?«, sagt Adam.

»Ja, jetzt sind wir zusammen«, antwortet Eva.

Das wäre schon mal erledigt.

Sie lächelt. Er erwidert ihr Lächeln. Sie lächelt immer noch.

Eigentlich braucht man gar nicht so viel zu reden.

Sie schielt wieder auf seine Hand, die immer noch dicht neben ihrer auf der Decke liegt. Er zieht ein Bein an und bewegt gleichzeitig seine Hand, sodass sie zufällig ihre Hand berührt.

Sie sehen sich an. Eine Sekunde später halten sie sich an der Hand. Adam sagt nichts. Eva sagt nichts. Das ist auch gar nicht nötig.

UNGEKÜSSTER BALLAKROBAT

Adam jongliert mit dem Fußball. Er sieht nichts außer dem schwarzweißen Ball, der immer wieder hoch in die Luft fliegt, rechter Fuß, linker Fuß. Er hört nichts außer dem klatschenden Geräusch, wenn Fuß und Ball aufeinander treffen.

»HALLO!«, brüllt Alexander und schnappt den Ball mit der Hand aus der Luft. »IRGENDWAS müsst ihr doch gemacht haben! Jetzt rück schon raus damit!«

»Okay«, sagt Adam. »Wir haben geredet.«

»Und?«

»Sonst nichts.«

Adam versucht, sich den Ball zurückzuholen, aber Alexander gibt ihn nicht her.

»Hör auf! Nichts mit küssen?«

Er spitzt die Lippen, aber Adam schüttelt den Kopf.

»Habt ihr euch umarmt? Eva mag das, das sieht man aus hundert Metern Entfernung!«

»Nein.«

»Heißt das, es gab keine Knutscherei? Nicht mal ein kleines bisschen ...?«

»NEIN, HAB ICH DOCH GESAGT!«

Adam schnappt sich den Ball und fängt wieder an zu jonglieren. Hektisch tritt er nach dem Ball, sobald der sich dem Boden nähert, längst nicht so konzentriert wie sonst, und verliert ihn gleich wieder.

»Mach dir nichts draus«, sagt Alexander. »Morgen knutscht ihr bestimmt ...«

»ACH, HALT DIE KLAPPE! ICH BIN SUPERGLÜCKLICH, KAPIERT! SELBST, WENN WIR UNS NIEMALS KÜSSEN, BIN ICH GLÜCKLICH!!!«

Alexander prustet los. Adam funkelt ihn wütend an. Alexander lacht noch lauter, als er Adams Blick sieht. Und dann, nachdem er sich aufs Fußballfeld gesetzt hat, weil er sich vor Lachen nicht mehr halten konnte, fängt Adam endlich auch an zu lachen.

»Du hast eine Freundin, Adam!«, ruft Alexander und wirft eine Hand voll Sand nach Adam. »Wahnsinn!«

Adam lacht immer noch. Stimmt, das *ist* Wahnsinn. Und toll.

PETZEN UND LÄSTERMÄULER

Als Eva klein war, war sie eine Petze. So jedenfalls hat Tobbe sie immer genannt. Zugegeben, es kam hin und wieder vor, dass sie zu Mama rannte, wenn ihr großer Bruder gemeiner als sonst zu ihr war, aber was blieb ihr auch anderes übrig? Er war schließlich größer und stärker als sie. In solchen Fällen zu Papa zu laufen hatte sie hingegen schnell aufgegeben, er war damals schon genauso hoffnungslos wie heute, wenn es darum ging, sich durchzusetzen.

Inzwischen petzt Eva kaum noch. Stattdessen redet sie lieber mit Annika, wenn Tobbe mal wieder gemein zu ihr war. Annika versteht sie.

Aber es gibt andere, die petzen und lästern immer noch. An diesem Tag scheint in Evas Klasse niemand etwas Besseres vorzuhaben. Das ist ein einziges Getuschel und Gekicher, sodass Eva kaum noch ihre eigenen Gedanken versteht.

»RUHE!«

Der zahme Ruf der Giraffe nützt wie immer gar nichts. Sie ist ein hoffnungsloser Fall, die schlechteste Lehrerin der ganzen Schule. In ihren Stunden ist es immer laut, unruhig und anstrengend. Als sie einmal eine

Vertretungslehrerin für die Giraffe hatten, war es gleich viel ruhiger und angenehmer als sonst. Als die Giraffe schließlich zurückkam, war der Unterschied richtig zu merken. Hier bräuchte es einen Tiger oder einen Löwen, nicht so eine lahme Giraffe!

»Jetzt wissen es alle, oder?«, flüstert Eva Annika zu.

»Noch nicht ganz«, flüstert Annika zurück. »Aber spätestens in drei Minuten.«

Eine Minute später weiß in jedem Fall Mia Bescheid, sie schickt einen Zettel an Eva, auf dem steht: GLÜCKWUNSCH! ER SCHEINT SUPERNETT ZU SEIN!

Eva lächelt Mia an und nickt. Dann sieht sie zu Adam. Er ist wirklich supernett. Und gleich weiß die ganze Klasse, dass sie beide zusammen sind.

In der Pause steht Adam mit Alexander zusammen und unterhält sich. Eva sieht ihm an, dass er nervös ist. Er traut sich nicht mal, in ihre Richtung zu gucken. Wahrscheinlich ist er es nicht gewohnt, derjenige zu sein, über den alle tratschen.

Eva spürt die Blicke der anderen auf sich und Adam. Sie kriegt fast blaue Flecken davon. Haben die denn nichts Spannenderes zu tun?

Wer hat den Mund nicht halten können? Annika konnte sich nicht beherrschen, es Mia zu sagen. Aber da hatte Alexander es schon halb Schweden mitgeteilt.

Na ja, eigentlich ist es ja gar kein Geheimnis. Sollen sie doch darüber reden. Trotzdem.

Sie beschließt, zu Adam zu gehen. Sie wird zu Adam gehen und ihn vor aller Augen umarmen! Genau das wird sie machen, danach werden sie schon ihre Lästermäuler halten!

Mit zwei Schritten ist sie bei Adam. Er dreht sich zu ihr um. Alle glotzen.

»WOW!«, ruft Jonte. »FASS IHR AN DIE TITTEN, ADAM!«

Eva stellt sich vor Adam.

»Hallo«, sagt sie.

»Hallo«, sagt er.

Aus der Umarmung wird nichts.

Nicht jetzt.

Nicht heute.

DIE PEINLICHSTE MUTTER DER WELT

Die leierige Stimme der Giraffe versucht den Zirkuslärm zu übertönen, den ihre Klasse veranstaltet. Adam musste fast die ganze Nacht an Eva denken und konnte deswegen nicht einschlafen, jetzt holt er den Schlaf im Unterricht nach. Er wacht davon auf, dass ihm jemand auf die Schulter klopft.

»Ich hab einen Brief für dich«, zischt Kajsa und steckt ihm einen zusammengefalteten Zettel zu. »Von deiner *Liebsten!*«

Adam faltet den Zettel auseinander und hält die Hand davor, damit niemand was sieht. Da steht: HALLO ADAM! TREFFEN WIR UNS HEUTE? Hinter ihren Namen hat Eva ein rotes Herz gemalt.

Adam dreht sich um und nickt so, dass Eva es sehen kann. Sie fängt wieder an zu schreiben.

Gleich darauf steckt Kajsa ihm einen neuen Zettel zu.

»Ganz schön viel Post heute!«

Diesmal steht auf dem Zettel: BEI DIR? TOBBE IST ZU HAUSE!«

Dann müssen sie sich wohl bei Adam treffen. Hoffentlich ist niemand zu Hause.

Alexander stupst Adam an und flüstert:

»HEUTE knutscht ihr aber, oder?«

Adam sitzt am Küchentisch da, wo er immer sitzt. Eva sitzt auch am Küchentisch. So weit, so gut. Aber *zwischen* ihnen sitzt Adams Mutter. Und was Schlimmeres hätte gar nicht passieren können!!!

Warum hat er nur so ein Pech? Dienstags besucht sie sonst immer einen Kurs. Sie geht direkt von der Arbeit dorthin und ist normalerweise später als sein Vater zu Hause.

Adams Mutter ist bester Laune, sie strahlt geradezu, so sehr freut sie sich, »Adams Freundin« kennen zu lernen! Sie redet ohne Punkt und Komma und klingt wie ein geistig verwirrter Papagei, die Worte sprudeln in einem endlosen Strom aus ihr heraus. Dabei hört sie normalerweise eher zu, als dass sie viel redet. Warum muss er aber auch so ein verflixtes Pech haben?!?

Aber als Adam glaubt, dass es schlimmer eigentlich nicht mehr werden könnte, holt sie ein *Fotoalbum!*

» ... Und hier, Eva, erkennst du Adam auf dem Bild?«

»Glaub schon, ist er der mit der blauen Badehose ... ?«, fragt Eva ein wenig unsicher.

Adams Mutter lacht und zeigt auf einen anderen Jungen auf dem Bild. Adam kneift die Augen zu und wünscht sich, dass alles nur ein böser Traum ist, aus dem er jeden Augenblick erwacht.

»Doch, das könnte man fast meinen«, sagt seine Mutter. »Aber Adam ist der kleine Knirps daneben, der ohne Badehose!«

Sie dreht sich zu Adam um und kichert.

»Tut mir Leid, Adam. Es ist dir doch hoffentlich nicht peinlich, dass ich Nacktbilder von dir zeige, oder?«

Doch, und ob Adam das peinlich ist. Aber nicht deswegen. Er schämt sich für all die Peinlichkeiten, die seine bekloppte Mutter von sich gibt, in Grund und Boden. Eva sieht Adam an und lächelt kurz, und plötzlich ist es schon ein bisschen weniger schrecklich – bis seine Mutter ihm durch die Haare wuschelt und mit ihrem Geschnatter fortfährt.

»Du musst wissen, dass Adam mit vier Jahren wirklich klein war!«

Adam schlägt ihre Hand weg, die in seinen Haaren krault.

»Aber jetzt ist er schon richtig groß! Bringt schon seine Freundin mit nach Hause! Ja, ich hab mir doch gleich gedacht, dass er ein bisschen in die Eva verliebt ist, mit der er Gitarre spielt. Eine Mutter spürt so etwas, weißt du …«

Eva lächelt. Adams Mutter schlägt das Album zu und verlässt die Küche. Aber ehe Adam mit Eva fliehen kann, ist sie schon wieder zurück. Mit dem nächsten Fotoalbum.

»Hier hab ich was für dich, Eva! Mit sechs Jahren war Adam ein richtiger kleiner Pummel. Du wirst nicht glauben, dass er es ist, wenn du ihn siehst …«

Endlich sind sie in Sicherheit in Adams Zimmer. Sie sitzen auf dem Boden, Adams Bett als Rückenlehne, und halten sich an den Händen. Plötzlich fängt Eva an zu lachen.

»Ich schwöre, so bescheuert ist sie normalerweise nicht!«, sagt Adam.

»Ach Quatsch, so schlimm war es doch gar nicht. Verglichen mit meiner Familie! Da sind alle bekloppt!«

Sie sieht ihn grinsend an.

» … Pummelchen!«

Adam schnappt sich sein Kissen vom Bett und wirft es Eva mitten in ihr schrecklich unverschämtes und schrecklich süßes Grinsen. Aber er versucht nicht, sie zu küssen, keine Chance! In der Sekunde, in der er das tun würde, würde seine Mutter hundertprozentig die Tür aufreißen.

PEST UND CHOLERA

Als Eva klein war, fand sie Max total niedlich, da war er der süßeste kleine Bruder auf der ganzen Welt. Sie hat mit ihm gespielt, sooft sich die Gelegenheit ergab, er war ihre persönliche lebende Puppe. Und Max vergötterte Eva und machte alles mit, was sie sich ausdachte.

Inzwischen findet er Tobbes Einfälle spannender. Und süß und niedlich ist er auch nicht mehr. Er ist ein kleiner nerviger Scheißer, der uneingeladen seine freche Fratze zur Tür reinsteckt und stört, wenn er absolut nicht stören soll. Adam ist zum zweiten Mal bei Eva zu Hause zu Besuch, seit sie zusammen sind.

»Bist du Evas Freund? Tobbe hat gesagt, du bist Pole.«

»Nein, mein Vater ist in Polen gebo–. «, setzt Adam an.

»VERSCHWINDE, DU UNGEZIEFER!«, schreit Eva und knallt Max die Tür direkt vor der Nase zu.

»Wollt ihr in Ruhe knutschen?«, klingt Max' piepsige, aber kichernde Stimme durch die Tür.

Darauf antwortet Eva nichts. Adam sieht leicht hilflos aus.

»Tobbe sagt, dass ihr in Ruhe gelassen werden wollt, damit ihr knutschen könnt wie die Bekl–«

»ICH WEISS, DASS TOBBE DICH GESCHICKT HAT! HAU AB, BEVOR ICH DIR DEINE LETZTEN MILCHZÄHNE AUSSCHLAGE!«

»Na gut!«, sagt Max.

Eva sieht Adam an, der jetzt fast ein bisschen schockiert aussieht.

»Das war Max. Mein kleiner Bruder.«

»Ich hab's mir schon gedacht«, sagt Adam.

Sie sitzen eine Weile stumm nebeneinander. Adam hält Evas Hand fest und spürt, wie Eva seine drückt. Langsam kehrt das wohlige Gefühl zurück.

Da klopft es an der Tür.

»HAU AB!«, faucht Eva.

Die Tür geht auf, und wie erwartet füllt sich der Türrahmen mit Nordeuropas schäbigstem Grinsen unter dem absolut hässlichsten Pubertätsflaum.

»Ich stör doch nicht?«

»Doch«, sagt Eva.

Tobbe grinst. Er scheint ihre Antwort richtig komisch zu finden.

»Ich muss doch den Freund meiner Schwester begrüßen«, sagt Tobbe und legt seine schweißfeuchte Hand auf Adams Schulter. »Hi, Adam. Willkommen in der Familie, sozusagen.«

»Danke«, sagt Adam.

Tobbe grinst. Rekordverdächtig schäbig.

»Ich *musste* einfach kommen und dich mir ansehen. Es kommt nicht alle Tage vor, dass Eva es schafft, sich einen Jungen zu angeln!«

»Mach's gut, lieber Bruder«, versucht Eva mit ihrer ruhigsten Stimme zu sagen.

»Haben alle Polen so einen eigenartigen Geschmack? Ich meine, mein Schwesterlein ist ja nun wahrlich nicht die Erste, die ich empfehlen würde ...«

»MACH'S GUT!!!«

Sie schafft es, Tobbe aus dem Zimmer zu schieben, und knallt die Tür mit solcher Wucht hinter ihm zu, dass die Wände wackeln.

Jetzt besteht kein Zweifel mehr, dass Adam geschockt aussieht. Wie konnte sie nur so bescheuert sein, ihn mit nach Hause zu nehmen, obwohl die Gefahr bestand, dass ihre Brüder auch da sind? Die beiden sind wie Pest und Cholera auf einmal!

»Das war Tobbe.«

»Hab ich mir auch schon gedacht«, sagt Adam.

Eine Stunde später macht Adam sich auf den Heimweg. Max und Tobbe haben sich nicht mehr blicken lassen und Eva bereut kaum noch, Adam mit nach Hause genommen zu haben. Wenn sie ihn nicht mehr einlädt, wenn ihre Brüder zu Hause sind, braucht sie ihn gleich gar nicht mehr einladen.

Adam ist wirklich nett. Und niedlich. Sie hätte nicht gedacht, dass Jungs so sein können wie er. Ihr wird ganz warm im Bauch, wenn sie an ihn denkt und daran, dass er sie auch mag.

Eva gießt sich eine Tasse Tee auf und setzt sich an den Küchentisch. Der Tee hält die Wärme noch ein bisschen länger im Bauch. Obwohl sie wahrscheinlich auch so geblieben wäre.

Eva hört die Haustür gehen und Mamas Schritte.

»Hallo, Mama!«, ruft sie.

»Hallo«, antwortet Evas Mutter und gibt ihr einen Kuss auf die Wange. »Donnerwetter, bist du gut gelaunt. Was hast du heute gemacht?«

»Nichts Besonderes.«

»Was? Nichts Besonderes macht so gute Laune?«

»Ja.«

Mehr sagt Eva nicht. Aber im Stillen denkt sie, dass es nur darauf ankommt, mit wem man was macht.

BESSER ALS EIS MIT HEISSEN HIMBEEREN

Alexander winkt Adam zum Abschied zu und düst auf seinem Skateboard den Hügel hinunter.

»Viel Glück!«, ruft er. »Du traust dich! Heute traust du dich!«

Als Adam sich umdreht, hört er ein Auto bremsen, dass die Reifen nur so quietschen. Panisch wirbelt er herum und sieht, wie ein Mann in einem BMW seine Scheibe runterkurbelt und Alexander anschreit. Da hat er grad noch mal Glück gehabt. Alexander rast wirklich wie ein Irrer auf seinem Brett, auch wenn er genial fährt. Eines Tages gerät er noch unter die Räder!

Geschähe ihm recht! *Viel Glück. Du traust dich!* Natürlich traut Adam sich, aber dann, wann er es will. Muss Alexander immer so drängeln?

Er hört Schritte auf der Treppe. Nur eine hat solche Schritte. Er reißt die Tür auf, bevor sie überhaupt geklingelt hat.

»Hallo, Eva!«

Sie kommt herein. Eva steht in seinem Flur. Seine Freundin. Er hat eine Freundin und sie ist bei ihm zu Hause.

Er nimmt ein Paket Vanilleeis und ein Päckchen Himbeeren aus dem Gefrierfach. Dann verteilt er das Eis auf zwei Teller, macht die Himbeeren in einem Topf warm und gießt sie über das Eis. Die Sachen hat er alle selbst im Supermarkt gekauft.

Sie essen ihr Eis am Küchentisch. Wenn Adams Mutter gewusst hätte, dass Eva kommt, hätte sie eine Torte gebacken. Und natürlich wäre sie zu Hause geblieben, um sich mit Eva zu unterhalten. Adams Vater wäre auch zu Hause geblieben, wenn er es gewusst hätte, aber er wäre wenigstens so rücksichtsvoll, ihnen etwas unauffälliger hinterherzuspionieren.

Eis mit heißen Himbeeren ist viel besser. Besonders ohne Eltern.

»Das schmeckt irre lecker«, sagt Eva. »Was du alles kannst!«

»Ach«, sagt Adam. »Das ist supereinfach.«

»So hab ich das noch nie gegessen. Ich mach höchstens mal Schokoladensoße zum Eis, wenn ich nicht zu faul bin.«

»Die schmeckt bestimmt auch irre lecker.«

Eva sieht Adam an. Irgendwie ist ihr Blick anders als sonst.

Er muss plötzlich daran denken, was Alexander gesagt hat. Was heißt hier sich trauen? Manchmal ist Alexander wirklich nervig!

Aber was, wenn Adam wirklich …?

»Mach die Augen zu«, sagt Eva.

In Adams Bauch kribbelt es. Aber er schließt die Augen.

»Okay, ich hab die Augen zu. Aber warum …?«

Er hört, wie sie von ihrem Stuhl aufsteht, und kurz darauf fühlt er was Feuchtes auf seiner Wange.

»Ooooooh!«, haucht Adam.

»Das war ein Kuss«, erklärt Eva. »Lass die Augen noch geschlossen, jetzt kommt nämlich …«

Evas Lippen auf Adams. Sie fühlen sich feucht und irgendwie unwirklich groß an. Das ist … fantastisch.

» … unser erster richtiger Kuss«, sagt Eva.

Adam schlägt die Augen auf. Er wird nicht rot wie sonst. Und Eva sieht glücklich aus. Nichts ist schief gegangen, alles ist, wie es sein soll!

»Du schmeckst so gut«, sagt Adam. »Viel besser als Eis mit heißen Himbeeren.«

Eva lacht. Wahnsinn, was ihm für tolle Sachen einfallen.

»Du auch«, sagt sie.

Adam nimmt Evas Hand und zieht sie hinter sich her in sein Zimmer. Sie haben sich auf den Mund geküsst. *Ihr erster Kuss!* Und Eva hat sich getraut. Und wenn sie sich nicht getraut hätte, hätte Adam es gemacht. Garantiert!

Jetzt sitzen sie nebeneinander auf Adams Bett. Er legt seinen Arm um ihre Taille und sie sieht glücklich aus, weil er das macht.

»Du?«, sagt er. »Wollen wir jetzt nicht unseren zweiten richtigen Kuss ausprobieren?«

WAS MACHT MAN EIGENTLICH MIT DER ZUNGE?

Als Eva klein war, hat sie sich nie Gedanken über die Zeit gemacht. Die einzigen Zeiten, die Bedeutung für sie hatten, waren die Essenszeit und die Zubettgehzeit, und die fand sie beide schrecklich, weil sie dann nicht zu Ende spielen konnte. Und die erste Uhr, die sie bekam, hat sie nie umgebunden, sie juckte nur und war im Weg, und Eva hatte sowieso nicht vor, nach Hause zu gehen, nur weil die blöden Zeiger so oder so standen.

Inzwischen trägt Eva meistens eine Uhr, aber Zeiten hält sie deswegen trotzdem nicht ein. Dafür gibt es jetzt hin und wieder Situationen, in denen sie schon mal über Zeit nachdenkt.

Zwei Wochen zum Beispiel sind eine lange Zeit. Beinah eine Ewigkeit.

»Kannst du dir vorstellen, dass Adam und ich schon so lange zusammen sind, Annika?!«

Eva und Annika sind ausnahmsweise mal bei Annika zu Hause. Sie sitzen am Glastisch im Esszimmer und trinken Tee.

»Als ob wir uns schon immer gekannt hätten! Ich kann mich kaum noch erinnern, wie es war, als ich noch nicht mit ihm zusammen war. Zwei Wochen!!!«

Annika kichert.

»Jetzt hör schon auf!«

»Aber, das ist doch toll! Und man kann sich richtig gut mit Adam unterhalten. Wir reden über alles Mögliche und er versteht genau, was ich meine, irgendwie, und …«

Eva schaut Annika an, die plötzlich kreuzunglücklich aussieht. Eva könnte sich auf die Zunge beißen, wie konnte sie nur so ungeschickt sein?

»Natürlich ganz anders als mit dir! Nicht wie mit einer besten Freundin! Aber ist es nicht unglaublich, dass man mit einem *Jungen* richtig reden kann?«

Das Unglückliche in Annikas Blick verschwindet. Was für ein Glück, dass Eva noch rechtzeitig gemerkt hat, dass Annika traurig wurde.

»Was macht ihr sonst noch außer reden, wenn ihr euch trefft?«, will Annika wissen.

Jetzt muss Eva kichern. Annika ist ganz schön neugierig.

»Manchmal will Adam für die nächste Gitarrenstunde üben und dann üben wir, obwohl ich das eigentlich ziemlich öde finde …«

»Und sonst?«

»Wir küssen uns.«

Jetzt kichern sie beide.

»Und, wie ist das?«

»Klasse. Echt klasse. Und mit jedem Mal besser.«

Annika hat sich seit mehreren Minuten nicht mehr gerührt. Sie wartet gespannt auf die Fortsetzung.

»Adam weiß allerdings immer noch nicht so genau, was er mit seiner Zunge machen soll.«

Sie kichern um die Wette. Wenn Annika in richtiger Kicherlaune ist, kriegt Eva meist auch hysterische Kicheranfälle, und dann wird es bei Annika noch schlimmer. Und wenn es erst mal so weit ist, kriegen sie kein vernünftiges Wort mehr heraus, bevor sie sich ordentlich ausgelacht haben, und selbst dann besteht immer noch die Gefahr eines Rückfalls. Sobald eine von ihnen etwas sagt, das auch nur das kleinste bisschen lustig oder bescheuert ist, geht sofort die nächste Kicherattacke los. So würde Annika nie erfahren, was man mit der Zunge macht.

Aber nein, diesmal besteht keine Gefahr. Annika sieht schon wieder ernst aus.

»Dann merkt man also, dass er noch mit keinem Mädchen zusammen war? Na ja, wenn er noch nicht mal weiß, was man mit der Zunge machen soll, meine ich ...«

Bevor Eva antworten kann, redet Annika schon weiter.

»Wenn man's genau nimmt, bin ich auch noch mit

keinem zusammen gewesen. Jedenfalls nicht mehr als eine Woche. Und das gilt irgendwie nicht richtig ...«

»Nein, das stimmt wohl.«

»Ganz anders als bei zwei Wochen ...«

Annika verstummt und rührt mit dem Teelöffel in ihrer Tasse. Hundertmal. Eva wartet geduldig. Sie weiß, dass Annika etwas sagen will. Sie sind schließlich beste Freundinnen.

»Eva«, sagt Annika. »Was macht man denn eigentlich mit der Zunge?«

EINE ZAHNSPANGE IM RAMPENLICHT

Thomas gibt eine Fete. Außer Linda sind alle aus der Klasse gekommen. Keine Zeit, hat sie gesagt, aber alle wissen, dass sie keine Lust hat, wenn nur die »Babys« aus der eigenen Klasse da sind. Sie ist immer noch mit ihrem Mopedtypen aus der Achten zusammen und lässt keine Gelegenheit aus, den anderen auf die Nase zu binden, dass sie einen älteren Freund hat. Das scheint ihr ungeheuer wichtig zu sein.

Thomas legt ein langsames Stück auf und tanzt mit Sofia. Mitten im Lied küssen sie sich.

»Pass auf, dass du nicht an seiner Zahnspange hängen bleibst, Sofia!«, johlt Jonte. »Sonst müssen sie dich womöglich losoperieren!«

Die Zwillinge und noch ein paar andere lachen, aber Thomas küsst Sofia gleich noch einmal. Er schämt sich kein bisschen wegen seiner Zahnspange. Cool. Adam findet das richtig gut, und er wäre froh, wenn er sich auch nicht darum scheren würde, was Jonte sagt oder tut.

»Komm, Adam. Lass uns auch tanzen.«

Eva nimmt Adams Hand und dann tanzen sie ganz dicht zusammen. Das Lied ist schnell zu Ende, aber schon beginnt das nächste langsame Stück, und sie tanzen weiter.

»Kneif ihr in den Arsch, Adam!«, ruft Jonte.

»Ja, mach schon!«, grölen die Zwillinge im Chor.

Adam steuert mit Eva auf Jonte zu, und als er gerade noch zwanzig Zentimeter von ihm entfernt ist, gibt er Eva einen Kuss. Einen richtig langen Kuss, seine Zunge schiebt sich an Evas Zähnen vorbei und berührt ihre Zunge. Das ist jetzt genau der richtige Zeitpunkt.

Er spürt die Blicke der ganzen Klasse auf sich. Alle glotzen. Alle können sehen, wie Adam Eva küsst. Adam hat eine Freundin, und er traut sich, sie mitten vor Jontes Augen zu küssen.

Adam ist jetzt seit drei Wochen, fünf Tagen und ungefähr vier Stunden mit Eva zusammen. Das waren die besten drei Wochen, fünf Tage und ungefähr vier Stunden, die er bisher erlebt hat.

YESTERDAY, ALL MY TROUBLES SEEMED SO FAR AWAY

Als Eva klein war, wollte sie unbedingt Zirkusartistin werden und an einem Trapez hoch über einem großen Publikum turnen. Falls es im Zirkus keine freien Stellen gäbe, hätte sie sich auch vorstellen können, Sängerin oder Schauspielerin zu werden. Sie liebte es, vor Publikum aufzutreten, und sang auf Wunsch »Bäh, bäh, weißes Lamm« oder »Kein schöner Land in dieser Zeit«, wenn ihre Eltern Gäste hatten.

Inzwischen weigert sie sich sogar mitzukommen, wenn ihre Eltern mit Max in den Zirkus gehen, und singen tut sie auch nur noch im Schulchor. Seit damals hat es nicht mehr viele Auftritte gegeben, das peinliche Vorspielen in der letzten Gitarrenstunde nicht mitgerechnet. Eva hat sich mindestens zehntausendmal verspielt.

Mit der Gitarre will sie jedenfalls nie wieder auftreten. Wenn überhaupt, dann als Schauspielerin.

»YESTERDAY, ALL MY TROUBLES SEEMED SO FAR AWAY«, singt Annika und Eva singt mit.

Unter der Dusche kann man gut singen, das klingt klasse. Annika und Eva sind nach der Sportstunde die Letzten im Umkleideraum.

»Wenn ich in den 50ern geboren wäre, hätte ich mich

in Paul McCartney verknallt«, sagt Annika. »Ich hab gestern zwei CDs gekauft, bald hab ich alle!«

Annika fährt in letzter Zeit total auf die Beatles ab. Das ist die einzige Musik, die sie im Moment hört.

»So ein fetter alter Tattergreis!«, sagt Eva und stöhnt.

»Jetzt, ja. Aber früher!«

»Meine *Mutter* findet die Beatles gut!«

»Dann hat sie eindeutig einen besseren Geschmack als du!«

»Könntest du dich nicht wenigstens in John Lennon verknallen«, sagt Eva. »Der war viel cooler. Oder Alexander …«

Annika kichert.

»John Lennon ist tot. Leider. Und Alexander ist in Linda verknallt.«

»Leider«, sagt Eva.

Sie kommen mit fünf Minuten Verspätung zur Mathestunde. Dabei hatte Eva sich fest vorgenommen, nicht mehr zu spät zu kommen.

Auf dem Weg von der Schule summt Eva »Yesterday« vor sich hin. Sie geht langsamer als sonst, obwohl sie auf dem Weg zu Adam ist. Ihre Beine bremsen, obwohl sie versucht sie anzutreiben. Der Text passt ziemlich gut zu ihrer Stimmung, zumindest ein bisschen. Gestern war wirklich ein Supertag, aber der Tag heute ist … irgendwie nervig.

Klar, sie sehnt sich nach Adam, doch, wirklich. Aber trotzdem hat sie nicht so recht Lust, ihn zu treffen, nicht heute. Weil sie weiß, dass ihn das, was sie ihm erzählen will, traurig machen wird.

KLAR DARF SIE MACHEN, WAS SIE WILL

Manchmal fällt Adam nichts ein, was er mit Eva zusammen machen könnte. Ganz anders als bei Alexander. Mädchen sind eben nicht wie Jungen, wie Alexander immer sagt.

Das ist auch gut so. Adam möchte kein bisschen an Eva verändern. Und eine gute Sache gibt es, die ihnen immer wieder einfällt: Küssen. Das ist noch besser als Skateboardfahren und Fußballspielen mit Alexander!

Obwohl Adam nie mit Eva zusammen Skateboard fährt oder Fußball spielt – sie hasst Skateboards und Fußball interessiert sie höchstens, wenn Weltmeisterschaft ist –, machen sie trotzdem viel zusammen. Gitarre spielen – und küssen!

Adam schließt die Augen. Seine Eltern sind noch nicht wieder zu Hause. Eva sitzt auf seinem Bett. Er weiß, dass sie ihn anguckt, aber er lässt die Augen geschlossen. Sie küssen sich, ihre Lippen drücken sich auf seine, und es fühlt sich ein bisschen so an, als ob ein Teil von ihm mit Eva zusammen davonfliegt. Weit raus ins Weltall. Und erst wieder zurückkommt, wenn er die Augen öffnet.

Nach dem Kuss ist es still. Macht nichts.

Nach einer halben Minute macht es schon was. Eva ist normalerweise diejenige, die wieder zu reden anfängt. Jetzt, wo sie es nicht tut, ist es plötzlich schrecklich schwierig, etwas zu sagen, das nicht bekloppt klingt.

Sie sind bei Adam zu Hause. Er müsste jetzt irgendwas vorschlagen, das sie machen könnten. Na ja, eine Möglichkeit gäbe es.

»Wollen wir Gitarre üben?«

Adam nimmt seine Gitarre vom Haken an der Wand und spielt die ersten Akkorde des Stückes, das sie bis zur nächsten Stunde üben sollen.

»Die eine Stelle finde ich ziemlich schwierig. Kannst du's? Warte, hier ist es, wenn man grade–«

»Ich hab keine Lust«, sagt Eva.

»Ach, kannst du es schon?«

»Ich hab nicht vor, es zu üben«, sagt Eva.

Adam hört auf zu spielen und schaut hoch. Irgendwas ist mit Eva. So sieht sie sonst nicht aus.

»Ich will nämlich aufhören.«

Schweigen. Mit einem Mal kommt es ihm so vor, als würde Eva zehn Kilometer und nicht einen halben Meter weit weg sitzen.

»AUFHÖREN? Was soll das HEISSEN?! SPINNST DU!«

»Mir macht Gitarrespielen keinen Spaß mehr.«

»Das hast du noch nie gesagt!«

»Aber gedacht hab ich's schon öfter«, sagt Eva. »Ich fang stattdessen an Theater zu spielen.«

»THEATER?!?«

»Warum schreist du denn so?«

»ICH SCHREI DOCH GAR NICHT!«, schreit Adam.

Er holt tief Luft. Er weiß überhaupt nicht, warum er so aufgeregt ist.

»Und was wird dann aus uns?«

»Aus uns?«, fragt Eva erstaunt. »Wie meinst du das?«

»In der Gitarrenstunde hat schließlich alles angefangen! Ohne das wären wir vielleicht nie zusammengekommen! Wir hatten doch so viel Spaß und …«

»Das einzig Gute war, dass du dabei warst«, sagt Eva. »Und jetzt, wo wir zusammen sind, treffen wir uns doch sowieso!«

Das stimmt. Sie treffen sich sowieso.

Adam holt noch einmal tief Luft. Er muss sich zusammenreißen. Sie hat ja Recht. Eva darf schließlich machen, was sie will, oder etwa nicht?

Er holt noch einmal tief Luft und strengt sich wirklich an, es in Ordnung zu finden, dass Eva Theater spielt, wenn sie Gitarre doch nicht mag. Sie treffen sich ja trotzdem.

Eva wirft einen Blick auf die Uhr.

»Oje, ich muss los. Wir haben gleich unser erstes Treffen mit der Theatergruppe.«

KEIN QUATSCH IM THEATER!

Als Eva klein war, hat sie zusammen mit Tobbe Theater für ihre Eltern gespielt. Obwohl sie sich nie auf ein Stück einigen konnten. Tobbe wollte was mit intergalaktischem Weltraumkrieg spielen, während Eva lieber eine schöne Prinzessin gewesen wäre. Da Tobbe größer und stärker war, war Eva meist ein Weltraummonster, das den Kampf gegen »Tobbe the Star Knight« verlor. Aber manchmal durfte sie doch eine Prinzessin sein – auf einem Planeten, der in einen blutigen, intergalaktischen Weltraumkrieg verstrickt war.

Inzwischen ist es ewig her, dass sie Theater gespielt hat. Tobbe hat ihr den Spaß daran gründlich verdorben. Aber als Kajsa ihr erzählte, dass sie in einer Theatergruppe anfangen wollte, war sie wieder da, die Lust aufs Spielen.

»Willkommen. Es freut mich, so viele von euch hier zu sehen, die wissen wollen, was es heißt, auf einer Bühne und vor Publikum zu stehen – denn, denkt dran, ohne Zuschauer kann von Theater nicht die Rede sein! In der Begegnung mit dem Publikum entsteht die wirkliche Magie!«

Er sieht genau so aus, wie Eva ihn sich vorgestellt hat. Helles Haar, das wild in alle Richtungen absteht, und heller Bart, der wie Unkraut um sein Kinn sprießt. Und ziemlich abgetragene Klamotten.

Er heißt Ralf und leitet die Theatergruppe. Er redet viel und scheint felsenfest davon überzeugt zu sein, dass alles, was er sagt, genial ist.

»Hat einer von euch schon mal was von Shakespeare gehört?«

Die meisten murmeln etwas, das als ein Ja interpretiert werden könnte. Eva auch. Und Ralf legt los.

»Die Klassiker! Man muss immer mit den Klassikern beginnen!«

Er sieht seine Zuhörer scharf an. Am schärfsten Eva, so kommt es ihr jedenfalls vor, sie senkt den Blick.

»In den Theatern wird heutzutage unendlich viel Nonsens gespielt! Ihr werdet sicher auch Nonsens spielen müssen, wenn ihr nach diesem Kurs weitermachen wollt.«

Keiner sagt etwas.

»Oh ja! Aber, wenn ihr es schaffen wollt, jemals in einer der viel versprechenden Inszenierungen mitzuspielen, die es tatsächlich hin und wieder noch gibt, dann müsst ihr mit des Pudels Kern beginnen: den Klassikern!«

Eva schielt zu den zwölf anderen, die um sie herum stehen. Alle sehen ernst aus. Keiner scheint sich zu trauen, Ralf zu widersprechen.

»Lest das hier bis zum nächsten Mal. Das ist die Geschichte von Prinz Hamlet von Dänemark, falls er euch zufälligerweise bekannt sein sollte. Kein Nonsens, jedenfalls.«

Er teilt einen Stapel Kopien aus. Eva fragt sich, wie sie das alles neben den Hausaufgaben in einer Woche bewältigen soll.

Eva und Kajsa gehen die ausgetretene Treppe des Gemeindehauses nach unten. Keine von beiden sagt etwas, ehe sie sicher sein können, dass Ralf außer Hörweite ist.

»Der ist ja wahnsinnig«, stöhnt Kajsa. »Ich frag mich, wo der entlaufen ist?!«

»Ja, er war –«, setzt Eva an.

»Er ist einfach genial! Und er hat absolut Recht. Das werdet ihr auch bald feststellen!«

Eva und Kajsa drehen sich um. Hinter ihnen geht ein ziemlich langer Junge. Er dürfte mindestens ein Jahr älter sein als sie. Er war eben mit dabei, ansonsten hat Eva ihn noch nie gesehen. Wahrscheinlich geht er auf eine andere Schule.

»Ralf ist Regisseur am Reichstheater. Ich hatte ihn schon im letzten Halbjahr.«

»Reichstheater?«

Eva weiß nicht, was das für ein Theater ist. Aber es klingt gut.

»Klar. Er weiß, wovon er redet. Man muss mit den Klassikern anfangen!«

Kajsa sieht leicht genervt aus.

»Ja, kann schon sein. Ich finde nur, dass er so … na ja, er wirkte irgendwie ein bisschen …«

»Ich finde ihn echt in Ordnung«, sagt Eva.

Kajsa funkelt Eva wütend an.

»Klar ist er das«, sagt der Junge. »Ich heiße übrigens Sebastian. Wie heißt ihr?«

EINE SCHAUSPIELERIN ALS FREUNDIN

Adam wartet draußen vor dem Gemeindehaus auf Eva. Als er Schritte auf der Treppe hört, weiß er: Das ist sie. Er erkennt sie sofort wieder. Nur Evas Schritte klingen so.

Eva kommt nach draußen gerannt und wirft sich ihm um den Hals. Ein paar Jungs gehen an ihnen vorbei und glotzen, einer lacht. Aber Adam findet das nicht peinlich. Er ist mit Eva zusammen, er hat eine Freundin, das ist kein Geheimnis, und sie darf ihn umarmen, sooft sie will.

Kajsa kommt jetzt auch nach draußen. Aber Eva war die Erste. Sie hat sich beeilt, weil sie wusste, dass Adam draußen auf sie wartet!

»Hi, Adam«, begrüßt Kajsa ihn.

»Na, wie ist es, eine Schauspielerin als Freundin zu haben?!«

»Ach«, sagt Eva.

»Tschüss, Mädels!«, ruft ein Junge, als er an ihnen vorbeigeht.

»Tschüss!«, ruft Eva zurück.

»Warte!«, ruft Kajsa hinter ihm her. »Ich muss in dieselbe Richtung, wir können doch zusammen gehen?«

Kajsa rennt los, um den Jungen einzuholen, Eva sieht ihnen noch eine Weile hinterher.

»Wer war das?«, fragt Adam.

»Ein Junge aus der Theatergruppe. Er heißt Sebastian. Gehen wir?«

Adam und Eva küssen sich. Als Adam sie nach dem Kuss loslässt, streift er das, was unter ihrem Shirt ausbeult. Das war keine Absicht. Sie sagt nichts, bestimmt weiß sie, dass das keine Absicht war, und tut, als ob nichts passiert wäre. Adam hat zum ersten Mal Evas Brust berührt!

Die Tür geht auf. Ganz plötzlich wird sie aufgerissen.

»Hi, Adam, du hier?!«

Es ist Tobbe. Er hat das Talent, immer genau dann reinzuplatzen, wenn es am schönsten ist. Langsam versteht Adam, warum Eva manchmal so sauer auf ihn ist.

»Du weißt genau, dass er hier ist!«, faucht Eva ihn an. »Und du störst!«

Tobbe grinst.

»Nicht mehr lange und sie schimpft genauso mit dir, Adam! So ist sie nun mal!«

Er blinzelt Adam zu.

»Mach lieber Schluss mit ihr, bevor sie mit dir Schluss macht! Die Braut hier hat wirklich Probleme mit ihrer Laune, ich kenne niemanden, der so sauer werden kann wegen ni–«

»VERSCHWINDE!«, schreit Eva.

»Verstehst du, was ich meine, Adam? Bald bist du dran. Ich wollte eigentlich nur fragen, ob ich deinen Taschenrechner leihen kann, Eva?«

»NEIN! UND JETZT VERSCHWINDE! SOFORT!«

»Dann lass mich los.«

Tobbe will seine Hand auf Adams Schulter legen, um ihm sein Mitleid zu bekunden. Aber ein harter Schlag von Eva verhindert das. Im letzten Moment, bevor sie ihm die Tür vor der Nase zuknallt, sagt er:

»Mensch, Adam, guck nicht so bedeppert. Ich hab doch nur Spaß gemacht!«

EIS UND KUSCHELN AUF DEM SOFA

Als Eva klein war, hat sie sich kleinere Geschwister gewünscht. Sie fand es doof, immer die Kleinste zu sein, und wollte auch mal die Größere sein. Und Babys sind ja so süß, sie hätte gern ein kleines Baby in der Familie gehabt. Darum war sie auch überglücklich, als Max zur Welt kam, und spielte abendelang mit ihm, sobald er groß genug war und nicht mehr gestillt werden musste.

Inzwischen reißt sie sich nicht mehr darum, die Abende mit Max zu verbringen. Das Einzige, was für ihn spricht, ist, dass er noch nicht ganz so bescheuert wie Tobbe ist. Außerdem geht er ziemlich früh ins Bett. Wenigstens sollte er das. Besonders an diesem Abend.

»Gute Nacht, Max«, sagt Eva.

»Willst du schon schlafen?«, fragt Max.

Adam prustet los und Eva wirft ihm einen vernichtenden Blick zu. Ihre Eltern und Tobbe sind nicht zu Hause, sie könnten sich einen richtig gemütlichen Freitagabend machen. Das soll Max auf keinen Fall vermasseln!

»DU sollst schlafen, Max. JETZT!«

»Ich darf immer länger aufbleiben, wenn ein Babysitter da ist«, sagt Max.

»Ah ja? Das ist mir aber ganz neu«, sagt Eva. »Dabei bin ich doch normalerweise deine Babysitterin.«

»Nicht immer«, sagt Max. »Ich will noch mehr Eis haben. Ich kriege immer mehr Eis, wenn ein Babysitter da ist!«

Wortlos geht Eva zum Kühlschrank, reißt die Tür auf und füllt zwei Löffel Vanilleeis in eine Schüssel. Sie bringt die Schüssel ins Wohnzimmer, wo Max und Adam es sich vor dem Fernseher gemütlich gemacht haben. Max hat sein albernes Batman-Kostüm angezogen.

»Hier«, sagt Eva. »Beeil dich!«

Max beeilt sich. Und kleckert.

»PASS AUF DAS SOFA AUF, DU IDIOT!«, schreit Eva ihn an.

»Kann ich auch bei eurem Theater mitspielen?«, fragt Max Adam. »Ich kann Batman sein und die ganze Welt vor Joker retten.«

»Das ist Evas Theatergruppe, nicht meine«, sagt Adam. »Ich mache da nicht mit.«

»Und du wirst auch nicht mitmachen«, sagt Eva zu Max. »Wir brauchen keinen Batman.«

Aber bei dem Gedanken, dass Max mitten in einer feierlichen Hamlet-Replik in seinem Batman-Kostüm über die Bühne saust, muss sie lachen. Ralf und Sebastian fänden das wahrscheinlich längst nicht so komisch wie sie.

»Warum darfst du nicht mitmachen, Adam?«, fragt Max. »Das ist ja fies!«

»Ach was«, sagt Adam. »Was heißt schon dürfen. Theaterspielen ist nicht mein Ding, so einfach ist das.«

Obwohl es sich fast ein bisschen so anhört, als ob er es auch fies fände, dass er nicht mitmachen darf.

»Wer darf denn mitmachen?« Max lässt nicht locker.

»Jeder, der will«, sagt Eva. »Aber jetzt ist es zu spät. Wir haben schon mit den Proben für Hamlet angefangen.«

Ihr fällt plötzlich auf, dass sie es richtig gut findet, dass Adam nicht dabei ist. Es würde ihm keinen Spaß machen. Und er kann schließlich nicht bei allem dabei sein, was sie macht.

Aber irgendwie ist es auch ein komisches Gefühl, so zu denken. Dass sie nicht die ganze Zeit mit ihm zusammen sein will. Obwohl es eigentlich gar nicht komisch ist, nicht wirklich. Alle, die mit jemandem zusammen sind, finden, dass man auch mal was ohne den anderen machen muss. Linda sagt das jedenfalls öfter. Es ist nur so, dass Eva noch letzte Woche ganz sicher war, dass sie jede Sekunde des Tages mit Adam verbringen würde, wenn sie nur könnte!

»Wer ist Hamlet?«, fragt Max. »Das ist ja ein komischer Name!«

»Das ist ein Prinz. Sebastian spielt ihn. Richtig gut.«

Max hüpft dreimal auf dem Sofa auf und ab und landet dann nach einem Riesensprung auf dem Teppich.

»Ich finde, dass Adam diesen Hamlet spielen soll. Und dann rettet Batman ihn!«

Fünf Minuten später hat Eva es endlich geschafft, Max ins Bett zu bringen, immer noch im Batman-Kostüm und ohne die Zähne zu putzen. Man kann nicht alles haben.

Max schläft auf der Stelle ein. Und Eva und Adam sitzen aneinander gekuschelt auf dem Sofa und sehen sich den Film an. Adam hat die ganze Zeit seinen Arm um Eva gelegt, und wenn es spannend wird, drückt sie sich extra fest an ihn. Das ist schön. Alles ist schön. Außer dem Film.

EIN SAUKOMISCHER STREIFEN

Und wieder mal steht Adam vor dem hässlichen Gemeindehaus. Mit jedem Mal findet er es ein klein wenig ätzender. Er schaut auf seinen rechten Fuß runter und stellt fest, dass er mit der Fußspitze wippt. Das macht er immer, wenn er ungeduldig ist. Und er hat allen Grund, ungeduldig zu sein, Eva ist nämlich zu spät. Später als sonst!

Ob er reingehen sollte? Nein, dazu hat er keine Lust. Aber er hat auch keine Lust, noch länger zu warten. Evas Probe sollte vor zwanzig Minuten zu Ende sein. Und als er ankam, hat er Kajsa und ein paar andere aus der Theatergruppe aus dem Gebäude kommen sehen. Warum waren die anderen fertig und Eva nicht?

Adam versucht, sich nicht aufzuregen. Er will nicht sauer werden, aber … Er sieht auf die Uhr.

Jetzt verpassen sie die Werbung! Und wenn Eva nicht gleich kommt, verpassen sie auch noch den Film! Sie muss jetzt sofort kommen!

»Du warst heute richtig gut, Eva! Du hast echt Fortschritte gemacht!«

Die Stimme kommt aus dem Treppenhaus. Adam erkennt sie wieder.

»Meinst du wirklich?«, fragt Eva.

Sie klingt, als hätte sie gerade ein schönes Geschenk bekommen.

»Ja«, antwortet der, der Sebastian heißt. »Schade nur, dass die anderen das mit dem Theater nicht richtig raffen! Hast du gesehen, wie enttäuscht Ralf von Kajsa war?«

»Doch, heute war sie nicht unbedingt in Topform, aber ... Oh, hallo, Adam!«

Sie sieht ihn erst jetzt. Und sie beeilt sich kein bisschen!

»Warum siehst du denn so sauer aus?«

»RATE MAL!«, fährt Adam sie an. »Weißt du, wie spät es ist?! Ich warte hier schon eine Ewigkeit und ...«

Sebastian räuspert sich und hebt die Hand zum Abschied.

»Äh, Eva, ich geh dann mal! Ciao!«

»Tschüss, Sebastian.«

Sebastian springt auf sein Mountain-Bike und düst in Richtung Zentrum davon. Eva dreht sich zu Adam um.

»Adam, ich hab doch *gesagt*, dass du nicht auf mich warten brauchst! Ich musste mich noch mit Sebbe über meine Rolle unterhalten, und ...«

»WAS?! Soll das heißen, du bist geblieben, obwohl du wusstest, dass ich hier draußen stehe und warte?!«

Adam kann sich nur schwer beherrschen. Er schreit sonst nie jemanden an, nicht mal seine Mutter, auch nicht, wenn sie am nervigsten ist.

»Hör schon auf«, sagt Eva. »Ich hab doch gesagt, dass du nicht auf mich warten brauchst. Wir hätten uns auch im Kino treffen können.«

Sie greift nach seiner Hand und zieht ihn hinter sich her.

»Wir sollten jetzt gehen, sonst kommen wir noch zu spät!«

Adam sträubt sich. Und jetzt schreit er doch.

»UND WESSEN SCHULD IST DAS?!«

Eva starrt ihn an. Die Worte sprudeln nur so aus Adam heraus wie ein Wasserfall.

»Du trödelst rum und unterhältst dich mit diesem arroganten Schnösel, der nicht mal Hallo zu mir sagt, und wir verpassen den ganzen Film!!!«

»Sebastian ist nicht arrogant«, fährt Eva ihn an. »Aber ich kann verstehen, warum er mit so einem Griesgram wie dir nicht spricht!«

Adam schweigt. Jetzt ist alles kaputt. Sie wollten zusammen ins Kino und sich einen richtig witzigen Film ansehen. Stattdessen streiten sie sich und schreien sich an.

Sie hatten noch nie einen richtigen Streit. Noch nicht mal fast. Adam hätte nie gedacht, dass Eva ihn mal so anfahren würde.

Und … und schuld daran ist nur dieser arrogante Sebastian!!!

»Du bist in ihn *verknallt*, stimmt's? Du bist in ihn verknallt, weil er älter ist und weil du es cool findest, mit einem älteren Jungen zusammen zu sein, genau wie Linda!!!«

Adam mag zwar gar nicht daran denken, aber er sagt es trotzdem. Er kann einfach nicht anders.

»Das ist doch lächerlich, Adam! Ich hätte nicht gedacht, dass du so *kindisch* bist!«

Sie faucht wie eine wütende Wildkatze.

»Ja, da kannst du mal sehen«, faucht Adam zurück.

»Was?«

»Du findest mich kindisch, weil ich nicht genauso alt bin wie dieser Sebastian!«

»Quatsch«, sagt Eva ebenso ruhig wie eisig. »Ich finde dich kindisch, weil du dich kindisch *benimmst!*«

Adam atmet tief ein, ohne etwas zu sagen. Dann macht er auf dem Absatz kehrt und geht los.

»Gehen wir! Obwohl ich eigentlich gar keine Lust mehr habe.«

»Geh ruhig«, sagt Eva. »Ich komme nicht mit!«

Adam dreht sich um. Ist das ihr Ernst? Es war doch abgesprochen, dass sie zusammen ins Kino gehen!

»Glaubst du ernsthaft, dass ich mir mit so einem Sauertopf wie dir einen witzigen Film angucke?!«

»Gut«, sagt Adam trotzig. »Dann geh ich eben allein!«

Der Film ist wirklich komisch. An ein paar Stellen brüllen alle im Kino vor Lachen. Alle außer Adam.

DIE FAUST DES RIESEN IM REGEN

Als Eva klein war, ist sie häufig von zu Hause ausgerissen. Sie hielt es einfach nicht in einem Haus aus, in dem alle so ungerecht und so doof waren. Sie kann sich noch gut an das Gefühl erinnern, wie die Wut in ihr so groß wurde, dass ihr Körper nicht mehr ausreichte, und wie unendlich einsam sie war, weil niemand auf der ganzen Welt sie verstand. Sie ging einfach weg, und wenn Mama oder Papa sie nicht suchten, konnte es passieren, dass sie mehrere Stunden fort war.

Inzwischen reißt sie nicht mehr aus. Aber sie geht immer noch weg. Und inzwischen hat sie auch jemanden, der sie versteht.

»Kann ich rüberkommen?«

»Klar kannst du kommen!«, sagt Annika. »Mal wieder Probleme mit Tobbe?«

Annika braucht Eva nicht einmal zu sehen, um zu wissen, was los ist. Drei Worte am Telefon reichen aus.

»Das erzähl ich dir später«, sagt Eva und legt auf.

Sie schaut nach draußen. Es ist bezogen, aber jedenfalls regnet es nicht. Und selbst wenn, das würde zu ihrer Stimmung passen …

Sie wählt noch einmal Annikas Nummer.

»Können wir uns nicht lieber an der Faust des Riesen treffen?«, sagt Eva.

»Oje«, sagt Annika. »So ernst?«

Es regnet. Zum Glück hat Eva die Regenjacke mitgenommen. Sie sitzt auf der Faust des Riesen, ihrem geheimen Felsen, der wie eine riesige Faust aussieht, und wartet.

Es ist schlechte Sicht heute. Normalerweise kann man von der Faust kilometerweit gucken, weil sie nicht

nur hoch ist, sondern obendrein noch auf einem Hügel liegt. Nur ein Boot kann sie jetzt erkennen, das ein paar hundert Meter weit weg auf dem Wasser dümpelt. Es sitzt jemand darin und angelt. Adam sagt, dass die Fische bei Regen besser beißen. Er angelt gern. Aber Eva ist nicht mitgegangen, als er sie gefragt hat. Zum Fußball auch nicht. Und dann hat sie auch noch mit dem Gitarrespielen aufgehört.

Warum finden Jungs und Mädchen eigentlich immer völlig unterschiedliche Sachen interessant? Adam mag kein Theater. Oder vielmehr passt es ihm nicht, dass Eva Theater spielt. Aber es gibt auch Jungen, die sich für die gleichen Sachen interessieren wie Eva. Sebbe zum Beispiel findet Theater gut …

Wenn Eva in der Theatergruppe ist, unterhält sie sich mehr mit Sebbe als mit Kajsa. Er hat wirklich kapiert, worum es beim Theaterspielen geht. Manchmal, wenn sie diskutieren, wie eine bestimmte Szene umgesetzt werden soll, sagt er genau das, was Eva auch sagen wollte. Seltsam, dass man so ähnliche Gedanken haben kann, obwohl man sich erst so kurze Zeit kennt!

Eva hört ein Rascheln im dichten Brombeergestrüpp, das um den Felsen herum wuchert. Jemand setzt seine Füße in die verborgenen Spalten, die man kennen muss, um auf Evas und Annikas geheimen Platz zu gelangen, den Platz, an dem sie sich nur treffen, wenn sie besonders glücklich oder besonders traurig sind.

»Schieß los«, sagt Annika und setzt sich links neben

Eva, wo sie immer sitzt. Sie trägt auch eine Regenjacke, allerdings eine sehr viel neuere und schickere als Eva.

»Wir haben uns gestritten«, sagt Eva.

»Nicht du und Tobbe, sondern …«

»Doch, wir auch. Aber das tun wir ja ständig. Tobbe ist ein Vollidiot!«

Sie seufzt.

»Aber das ist nicht das eigentliche Problem, oder?«, sagt Annika. »Sag nicht, dass …«

»Doch«, sagt Eva. »Ich hab mich mit Adam gefetzt. Und ich hab das Gefühl, dass wir uns nie wieder vertragen werden!!!«

NICHTS ERNSTES ... ODER?

Adam macht einen neuen Versuch auf seinem alten, klapprigen Skateboard. Er schafft es fast bis zur oberen Kante, wendet und saust wieder runter. Ein gutes Gefühl.

»NEIN«, brüllt Alexander. »Trau dich mal was.«

Alexander nimmt Anlauf, kriegt einen Wahnsinnsschwung drauf, fliegt über die Kante hinaus, bleibt unwirklich lange in der Luft hängen, wendet und landet sauber und sicher. Er ist der König der Rampe, drei Mädchen, die aufgestanden sind, um besser sehen zu können, applaudieren.

»Ich hab mich schon mehr getraut als sonst«, sagt Adam. »Und ich hab mich nicht auf die Klappe gelegt!«

»Schon«, sagt Alexander. »Das war ja auch nicht übel. Aber es wäre noch besser, wenn du dich mehr trauen würdest!«

»Das war GUT«, kontert Adam, »für meine Verhältnisse!«

Adam weiß, dass er besser Fußball spielen kann als Alexander. Darum darf Alexander auch gern besser auf dem Skateboard sein. Das wird er übrigens immer bleiben, egal wie hart Adam trainiert.

»Und, wie fandest du den Film gestern?«, fragt Alexander. »War der nicht saukomisch? Ich hab mich schlapp gelacht!«

»Doch ja. Klar. Saukomisch.«

»Und Eva? Fand sie ihn auch gut?«

Adam zögert eine Sekunde.

»Ach. Sie ist nicht mitgekommen.«

»Was? So ’n Pech. Warum nicht?«

»Hat sich einfach so ergeben.«

Adam geht langsam nach Hause. Er hat niemandem erzählt, dass er sich mit Eva gestritten hat. Noch nicht mal Alexander. Er will nicht.

Dabei will er gar kein Geheimnis daraus machen. Nicht wirklich. Es ist anstrengend, mit niemandem darüber reden zu können. Aber wenn er darüber redet, wird es irgendwie ernst. Und das soll es nicht sein. Es soll vorbeigehen, spätestens morgen, das muss es einfach! Darum will er auch nicht darüber reden.

Im Augenblick will er gar nichts. Obwohl es wahrscheinlich besser wäre, mit Alexander Skateboard zu fahren, als allein zu Hause zu hocken und zu grübeln. Dazu hat er auch keine Lust.

Aber am allerwenigsten hat er Lust, noch länger mit Eva zerstritten zu sein!

GAR NICHT SO EINFACH, SICH ZU ENTSCHULDIGEN

Als Eva klein war, ist es ihr extrem schwer gefallen, sich zu entschuldigen. Sie hat sich nicht einmal dann entschuldigt, wenn sie genau wusste, dass sie etwas angestellt hatte, das ihre Eltern so richtig wütend machte, zum Beispiel Pferde auf die Tapete malen, weil sie es so langweilig fand, dass sie ganz weiß war. Wenn sie solche Dinge tat, konnte ihre Mutter sie anschreien, ihr drohen, sie schütteln, es half alles nichts. Natürlich schämte sie sich, wenn sie was Dummes angestellt hatte. Aber entschuldigt hat sie sich fast nie.

Inzwischen macht sie das. Wenn sie einen Fehler gemacht hat. *Wenn* sie einen Fehler gemacht hat.

Es fällt ihr nicht leicht. Sie muss sich dazu zwingen. Aber sie tut es.

Wenn sie einen Fehler gemacht hat.

Sie hält den Telefonhörer in der Hand. Unglaublich, ihre geizigen Eltern haben sich noch nicht mal ein Tastentelefon angeschafft. Zu Hause bei Annika steht eins, das fast wie ein Raumschiff aussieht, mit Fax und Anrufbeantworter und allen Schikanen.

Sie legt den Hörer zurück auf die Gabel. Okay, sie ist spät aus dem Theater gekommen. Das war nicht sehr nett von ihr. Aber Adam hätte nicht zu warten brauchen, das hatte sie ihm extra gesagt. Und schließlich hat er all die unglaublich kindischen und lächerlichen Dinge gesagt!

Und warum musste er Sebbe da reinziehen? Das war schlechter Stil!

Annika findet, dass Eva ihn anrufen sollte. Es hat gut getan, mit ihr zu sprechen. Aber ... irgendwie hatte Eva gestern das Gefühl, dass Annika fast ein bisschen auf Adams Seite steht. Wenn sie so im Nachhinein darüber nachdenkt, wird sie sogar ein bisschen sauer auf Annika.

Wie auch immer, Eva denkt gar nicht daran, Adam anzurufen. Sie werden wohl weiter zerstritten bleiben müssen, wenn es nicht anders geht!

Das Telefon klingelt. Eva hechtet an den Apparat und reißt den Hörer von der Gabel.

»Hier ist Eva!«

»Hi«, meldet sich eine quäkende, pubertäre Stimmbruchstimme, die Eva nur zu gut kennt. Es ist Palle, der in seinen schlimmsten Stunden sogar ihrem herzigen großen Bruder Konkurrenz macht, wenn es darum geht, die Liste der stadtgrößten Idioten anzuführen.

»Ist Tobbe da?«

»Nein, tut mir Leid«, sagt Eva.

»Aber er wollte doch –«

Eva schmeißt den Hörer auf. Es sind keine Schritte zu hören. Dann besteht Hoffnung, dass Tobbe das Klingeln nicht gehört hat. Das gibt Zoff, wenn er erfährt, was Eva getan hat.

Es klingelt noch einmal. Eva reißt den Hörer hoch, bevor das zweite Klingeln ertönt.

»Ich hab doch gesagt, dass er …«

»Nicht zu mir. Zu mir hast du nichts gesagt.«

Es ist Adam. Evas Herz schlägt plötzlich schnell und heftig, als wollte es den Brustkorb sprengen.

»Was willst du?«

Das klingt wütender, als es gemeint ist.

»Entschuldige.«

Eva sagt nichts. Sie ist wütend und froh und traurig zugleich.

»Ich hab mich ziemlich dämlich benommen«, fährt Adam fort.

»Stimmt«, sagt Eva. »Aber …«

Keiner von beiden sagt etwas.

»… ich mich auch«, sagt Eva schließlich.

Abends treffen sie sich bei Annika und gucken Videos. Ihr Vater ist bei einer Konferenz in Malmö und ihre Mutter ist die ganze Woche in London und arbeitet. Sie haben einen riesigen Fernseher und jede Menge toller Filme. Während sie gucken, hat Adam die ganze Zeit seinen Arm um Eva gelegt. Schon seltsam, dass man sich mit jemandem streitet, den man so gern mag.

DER TAG, AN DEM ALLES SCHIEF GEHT

Adam und Alexander sind auf dem Weg vom Fußballplatz nach Hause. Adam versucht im Gehen mit dem Ball zu jonglieren, während Alexander ein paar Tricks auf seinem Skateboard ausprobiert, beide wenig erfolgreich.

Das ist so ein Tag. Das Fußballspiel lief schon nicht besonders. Keiner von ihnen konnte sich recht mit dem Ball anfreunden. Entweder haben sie daneben geschossen oder viel zu hoch. Das war ein ewiges Gerenne hinter dem Ball her, wenn die viel zu hohen Schüsse über den viel zu niedrigen Zaun gingen.

»Bist du morgen bei dem Match dabei?«, fragt Alexander und balanciert ungeschickt auf den Hinterrädern. »Oder triffst du dich mit Eva?«

»Ich bin dabei«, sagt Adam. »Mit Eva kann ich mich auch ein andermal treffen.«

Kein Wort davon, dass er Eva morgen sowieso nicht treffen wird. Sie verbringt jetzt mindestens zwei Nachmittage pro Woche im Theater, bloß weil sie in drei Wochen irgend so ein dämliches altes Stück in der Schulaula aufführen. Ihm kommt es fast so vor, als ob sie nur noch dort sei.

»Das ist gut«, sagt Alexander. »Mädchen müssen merken, dass man auch eigene Hobbys hat, je eher, desto besser.«

Adam stimmt ihm zu. Man muss schließlich auch eigene Hobbys haben. So wie Fußball. Oder Gitarre.

»Und man muss sich schließlich ab und zu mit seinen Freunden treffen!«, sagt er. »Da wird man doch irgendwann plemplem, wenn man sich nur noch mit seiner Freundin trifft!«

Ja, genau. Plemplem und sonderbar würde man werden. Es tut gut, das mal ausgesprochen zu haben.

Aber Adam trifft sich ja gar nicht andauernd mit seiner Freundin. Das ist eigentlich nicht das Problem.

Tatsache ist, dass er sie inzwischen viel seltener trifft, als ihm lieb ist. Tatsache ist, dass er mit Vergnügen auf das Match morgen und alles andere verzichten würde, wenn Eva plötzlich vor ihm stünde und sagen würde, dass sie sich mit ihm treffen will, statt zu ihrer ätzenden Theatergruppe zu gehen. Tatsache ist, dass das augenblickliche Problem eher darin zu bestehen scheint, dass Eva nur noch andere Interessen hat als Adam.

Alexander ist wahrscheinlich schon längst zu Hause, und Adam fragt sich, warum er selbst einen Umweg nach dem anderen macht. Er läuft in seinem alten Trainingsanzug durch die Gegend und versucht, mit seinem Ball zu jonglieren, was immer weniger gelingt. So wird nie ein Fußballprofi aus ihm, wie er es sich erträumt hat als er klein war, er wird sich nicht mal für die Juniormannschaft qualifizieren, wenn es so weit ist. Er kennt etliche, die sich nicht für die Junioren qualifiziert haben, obwohl sie vorher in ihrer Mannschaft zu den Besten gehörten. Warum also sollte es ausgerechnet Adam gelingen?

Vor einer Woche war noch alles wahnsinnig toll. Jetzt ist nichts mehr toll, obwohl er mit dem einzigen Mädchen der Schule zusammen ist, mit dem er sich vorstellen kann, zusammen zu sein. Er ist ein Trottel.

Mit einem wütenden Tritt will er den Ball hoch in die Luft kicken. Und tritt daneben. Er macht einen Schritt auf die Straße, um ihn zurückzuholen. Da sieht er sie.

Es ist wie ein harter Tritt in die Magengrube.

Da ist Eva, seine Eva, die dieses Halbjahr zu einem der besten Halbjahre in seinem Leben gemacht hat. Aber sie ist nicht allein. Neben ihr, so nah, dass sie sich

fast berühren, geht Sebastian. Sie gehen zusammen zu McDonald’s!

Adam läuft hinter ihnen her. Er kann nicht anders. Was hat dieser aufgeblasene Idiot mit seiner Freundin zu schaffen?!?

Er schleicht ans Fenster und wirft einen Blick nach

drinnen. Da sind sie. Sebastian trägt ein Tablett mit zwei Hamburgern, einer großen Limo und einem Milchshake. Sie setzen sich an einen Zweiertisch und fangen an zu essen. Es sieht doch tatsächlich so aus, als hätte er sie eingeladen!

Sie unterhalten sich. Eva lacht zwischen den Bissen. Sie sieht in Adams Richtung, ohne ihn zu sehen. Sie hat nur Augen für Sebastian.

Eva lacht. Adam hält es nicht länger aus. Er rennt los. In seinem hässlichen alten Trainingsanzug rennt er durch die Straßen, weg von Eva. Erst zu Hause merkt er, dass er seinen Fußball liegen gelassen hat.

ZITRONEN ZUM FRÜHSTÜCK

Als Eva klein war, hatte sie eine Freundin, die dauernd schmollte. Sie hieß Erika, und solange sie gute Laune hatte, war Eva gern mit ihr zusammen. Aber sobald Eva etwas machte, das Erika nicht passte, konnte es passieren, dass sie tagelang schmollte, und das konnte Eva nur schwer ertragen. Eva wurde schon damals auf alle sauer, die sie reizten oder gemein zu ihr waren. In weniger als zwei Sekunden konnte sie so wütend werden, dass es funkte. Erika hatte ebensolche Probleme mit Evas plötzlichen Ausbrüchen wie Eva mit Erikas Schmollerei. Die beiden waren nicht sehr lange be freundet.

Jetzt schmollt Adam. Und Eva kann es noch genauso schlecht ertragen wie damals bei Erika.

»Was ist eigentlich mit dir los?«, fragt Eva. »Hast du grade ein Kilo Zitronen verdrückt, oder was?«

»Ha, ha!«, erwidert Adam. »Wie komisch! Jedenfalls hab ich keinen HAMBURGER gegessen!«

Sie stehen in einer Ecke des Schulhofs. Direkt neben Jonte und den Zwillingen, die mit einem gemeinen, breiten Grinsen zu ihnen rüberfeixen.

»Hö, hö!«, brüllt Jonte. »Hast du Zitronen gefressen, Adam? Will Eva dich etwa nicht mehr küssen?«

Eva nimmt Adams Hand und zieht in hinter sich her ans andere Ende des Schulhofs.

»Wovon redest du eigentlich? Sag lieber, was los ist!«

»Was hast du gestern gemacht?«, fragt Adam.

»Ich war im Theater. Das weißt du doch.«

»Und danach?«

»Was, danach?«

Adam starrt sie an, als ob er ihr jeden Moment eine knallen würde. Und mit so einem ist sie zusammen!

»Was hast du danach gemacht?«

»Hör schon auf«, faucht Eva ich an. »Ist das ein VERHÖR, oder was?«

»Ich hab euch gesehen«, sagt Adam. »Ich hab dich

mit diesem verdammten Sebastian zusammen gesehen! Hab ich's doch gewusst, dass da was ist – «

»Was soll das denn heißen? SPIONIERST du mir jetzt schon hinterher?!?«

»Nein, tu ich nicht! Aber – «

»Scheint aber so!«

Jetzt ist Eva richtig sauer. Und sie hatte geglaubt, dass nur Tobbe sie so in Rage bringen kann. Genau wie früher bei Erika wird Eva fuchsteufelswild. Nachdem sie Adam zweimal nacheinander ins Wort gefallen ist, guckt er jetzt völlig verwirrt und eingeschüchtert aus der Wäsche. Dazu scheint ihm nichts mehr einzufallen.

»Ist es vielleicht ein VERBRECHEN, mit einem Freund zusammen einen Hamburger zu essen, wenn man Hunger hat?«, poltert Eva weiter. »Kommt man dafür ins GEFÄNGNIS?«

Adam schrumpft vor Evas Augen. Er sagt nichts. Eva hat gewonnen.

»Du willst mich plötzlich überhaupt nicht mehr sehen«, sagt er leise. »Da ist es ja wohl nicht verwunderlich, dass ich dachte ... «

»Wenn du dich so aufführst, ist es ja wohl verständlich, dass ich dich nicht sehen will«, faucht Eva.

Adam sagt jetzt gar nichts mehr. Er dreht sich um und geht zur Klasse zurück. Eva sieht aus dem Augenwinkel, wie Jonte auf Adam zeigt und laut lacht.

Sie hat gewonnen. Aber das ist überhaupt kein schönes Gefühl.

ALLES, WAS ADAM NICHT WILL

Adam hat jede Menge Hausaufgaben zu machen, aber er hat keine Lust dazu. Auf dem Fußballplatz warten sieben Kumpel auf ihn, damit sie vier Spieler in jeder Mannschaft haben. Aber Adam hat keine Lust Fußball zu spielen. An der Wand über seinem Bett hängt seine Gitarre, und für die nächste Unterrichtsstunde müsste er noch ein wirklich schwieriges Stück üben, aber zum Gitarrespielen hat er auch keine Lust.

»Das Essen ist fertig«, ruft sein Vater.

Er klingt stolz. Wie immer, wenn es was ganz Kompliziertes gibt, zum Beispiel selbst gemachte schwedisch-polnische Fleischklößchen. Adam mag die tiefgekühlten aus dem Supermarkt viel lieber, aber das würde er seinem Vater niemals sagen.

»Ich hab keine Lust zu essen«, ruft Adam.

»WIE BITTE? Das schmeckt aber richtig gut, ich – «

»Ich hab keinen Hunger. Außerdem muss ich los.«

Eigentlich hat Adam zwar auch keine rechte Lust, nach draußen zu gehen, aber noch weniger Lust hat er, zu Hause zu bleiben und mit Mama und Papa zu Abend zu essen. Eva hat den ganzen Tag in der Schule kein Wort mit ihm geredet.

Adam geht. Er hat kein bestimmtes Ziel und eigentlich auch keine Lust, aber er geht trotzdem. Hinter ihm kläfft ein Hund.

»Hallo, Adam!«

Adam dreht sich um und wird beinah von einem großen schwarzen Labrador umgeworfen, der an ihm hochspringt und ihm übers Gesicht leckt.

»Nicht, Truls! Lass das! Sitz!«

Adam kann sich das Lachen nicht verkneifen. Der Hund mit seinem aufgerissenen Maul und der hängenden Zunge und Mia, die an der Leine zieht, um ihn von Adam wegzuzerren, sehen zum Piepen aus.

»Er mag dich«, sagt Mia.

»Als Abendessen vielleicht«, sagt Adam. »Will er mich fressen?«

Mia lacht. Nach einer Weile hat sie es endlich geschafft, Truls zu beruhigen.

»Normalerweise springt er nicht an Leuten hoch. Nur an denen, die er richtig mag.«

»Schön, das wenigstens er mich mag!«, sagt Adam und tätschelt Truls. »Braver Hund!«

Auch Mia tätschelt ihren Hund und sieht Adam an.

»Warum sagst du das? Dich mögen doch die meisten!«

»Quatsch«, antwortet Adam und versucht, nicht an Eva zu denken. »Das ist ein Labrador, oder?«

»Ja«, sagt Mia. »Er ist drei Jahre alt.«

Sie sieht ihn an. Er hat das Gefühl, dass sie direkt in ihn hineinschaut. Er muss den Blick abwenden.

»Bist du traurig?«, fragt sie leise.

»Ich?«, sagt Adam. »Nö.«

Truls hat irgendwas entdeckt und reißt sich los. Er düst ab wie eine Rakete und schleift die Leine hinter sich her.

»PASS AUF!«, schreit Mia. »KOMM ZURÜCK! DA KÖNNEN AUTOS KOMMEN!!!«

Sie rennt hinter dem Hund her, so schnell sie kann. Aber Adam ist schneller. Er kriegt Truls' Leine zu fassen, als der endlich stehen bleibt, um einen Hund hinter einem hohen Lattenzaun anzukläffen. Der ausgebellte Hund kläfft in fünffacher Lautstärke zurück. Er klingt lebensgefährlich groß und nicht sehr Vertrauen erweckend.

»Danke«, sagt Mia. »Das hast du gut gemacht. Truls verbellt immer den Pitbullterrier der Nachbarn.«

»Der klingt ja saugefährlich. Wohnst du hier?«

»Der ist auch gefährlich. Letzten Sommer hat er eine Katze totgebissen. Wenn der Zaun nicht wäre, hätte Truls wohl kaum so eine große Klappe.«

Sie zeigt auf ein kleines gelbes Holzhaus, das mindestens hundert Jahre alt aussieht.

»Da wohne ich.«

»Schönes Haus!«

»Hast du Lust, es dir von drinnen anzugucken? Im Gefrierfach müssten noch ein paar Hefeschnecken sein, die können wir im Ofen aufwärmen. Und Tee ist auf alle Fälle da.«

Adam nickt. Doch, er hat Lust. Zum ersten Mal an diesem Tag gibt es etwas, wozu er Lust hat.

DIE ARMEN BAHAMAS!

Als Eva klein war, haben ihre Eltern nie miteinander gestritten. Nicht so oft jedenfalls. Soweit sie sich erinnern kann.

Inzwischen hat sie das Gefühl, dass sie ständig sauer aufeinander sind. Jedenfalls viel öfter als früher.

»Åke, jetzt sprich doch endlich mal ein Machtwort mit Tobbe! Er MUSS sein Zimmer aufräumen, wenn wir es wagen wollen, Großmutter ins Haus zu lassen! Ich würde ja lieber auf einem Müllplatz wohnen als zwischen seinen Bergen von dreckigen Unterhosen und Strümpfen!«

Na ja, sie streiten nicht wirklich miteinander, eigentlich streitet nur ihre Mutter. Das war schon immer so. Sie streitet für zwei. Aber so oft und so gereizt hat sie noch nie mit Papa geschimpft. Vielleicht war er auch noch nie ein so hoffnungsloser Fall.

»NUN SAG DOCH ENDLICH AUCH MAL WAS! Ich hab es jetzt schon tausendmal versucht!«

Als ob es was nützen würde, wenn *er* was sagt. Nicht mal Max schert sich um Papas harmlose Ermahnungen.

»Ja, ja«, seufzt Evas Vater und geht zu Tobbe ins Zimmer.

»Du Tobbe, hör mal …«

Eva geht. Sie knallt die Haustür hinter sich zu. So genervt wie im Moment war sie noch nie von ihren Eltern. Sobald sie sich streiten, muss sie an Adam denken.

Eva sitzt auf einem Barhocker in Annikas luxuriöser Küche. Annika stellt das Radio an, das in die Küchenwand montiert ist. Die Musik wird von Werbung über Superschnäppchenpreise unterbrochen.

»Mama und Papa gehen mir so was von auf den Senkel«, sagt Eva und schmiert eine dicke Schicht Orangenmarmelade auf ihren Schokozwieback.

»Warum?«, fragt Annika. »Pass auf, die Marmelade ist ekelig. Ich glaube nicht, dass da auch nur eine einzige Orange drin ist.«

»Ach, sie sind so nervig, Mama meckert die ganze Zeit, vor allem mit Papa, und der reagiert kaum, wie die Faultiere im Zoo.«

Auf den nächsten Schokozwieback schmiert sie die Marmelade noch dicker. Sie ist auf alle Fälle besser als die, die ihre Mutter selbst einkocht, in Gläsern mit hässlichen, selbst gebastelten Etiketten, und die im Kühlschrank vor sich hin schimmelt.

»Tobbe wird immer schlimmer. Und selbst Max ist ein anstrengender kleiner Scheißer geworden. Es ist kaum noch auszuhalten zu Hause, das ist das reinste Affenhaus!«

Annika kichert. Aber dann guckt sie plötzlich ganz traurig.

»Ich würde trotzdem gern mit dir tauschen!«

»Okay«, sagt Eva. »Ich zieh morgen hier ein, wenn du willst!«

»Gern«, sagt Annika. »Hier ist es furchtbar!«

Eva merkt, dass sie jetzt besser nicht versuchen sollte, witzig zu sein. Ab und zu hat Annika ihre traurigen Phasen, und meistens gelingt es Eva, sie ein wenig aufzumuntern. Eva selbst wird eher wütend als traurig, aber bei Annika ist es genau umgekehrt. Diesmal ist es schlimmer als sonst, das merkt man gleich. Vielleicht nicht jeder, aber Eva schon.

»Ist was passiert?«

»Nein. Oder, doch.

»Was denn?«

Annika seufzt. Sie sieht *wirklich* traurig aus.

»Ach, Mama ist mal wieder verreist. Kaum war sie von ihren Dienstreisen aus London und Paris zurück, ist sie schon in den Urlaub auf die Bahamas geflogen!«

»Bahamas? Wow! Das ist doch super!«

»Sie ist einfach abgehauen. Sie war grade mal zwei Tage zu Hause, dann ist sie schon wieder mit Monica Bergman abgedüst! Papa ist ordentlich sauer, dass sie gefahren ist!«

Jetzt weint Annika.

»Sie muss doch von der Arbeit aus immer so viel fliegen«, versucht Eva sie zu trösten. »Vielleicht braucht sie einfach mal Urlaub.«

Annika sagt nichts.

»Aber seltsam ist es schon«, sagt Eva. »Einfach so abzuhauen, meine ich. Und wer ist Monica Bergman?«

»Das ist diese unerträgliche Senfschnecke von ihrer Arbeit. Die früher Fotomodell war und schon vier Mal verheiratet gewesen ist!«

»Oh nein! *Die!* Die armen Bahamas!«

Annika bringt zwischen all den Tränen sogar ein Lächeln zustande.

»Ich hab gehört, wie sie zu Papa gesagt hat, dass sie mal wieder richtig frei durchatmen müsse! Zu mir hat sie gar nichts gesagt – wahrscheinlich hat sie ein viel zu schlechtes Gewissen, was zu sagen!«

»Da hast du's! Anscheinend braucht sie nur mal einen kurzen Urlaub, danach ...«

»Sie liebt Papa nicht mehr! Ich weiß es! Und er liebt sie auch nicht mehr!«

Jetzt laufen die Tränen wieder.

»Verstehst du, Eva? Sie lassen sich bestimmt schei–«.

»Quatsch«, beeilt sich Eva sie zu unterbrechen, so als wolle sie verhindern, dass Annika das Wort zu Ende spricht.

»Doch«, sagt Annika. »Du solltest mal sehen, wie sie sich ansehen!«

»Ist doch nichts Ungewöhnliches, dass Eltern nicht total verliebt sind. Ich meine ... die sind doch ... Na ja, Eltern eben ...«

Annika ist es losgeworden, danach geht es ihr gleich ein bisschen besser.

»Du wirst schon sehen«, sagt Eva. »Es wird bestimmt wieder gut, wenn deine Mutter nach Hause kommt!«

Annika wischt die letzten Tränen weg.

»Glaubst du wirklich?«

»Klar«, sagt Eva.

Sie nehmen noch einen Schokozwieback. Bei Eva zu Hause gibt es so gut wie nie Schokozwieback. Tobbe und seine besemmelten Freunde haben sie schneller aufgegessen, als man sie in den Schrank stellen kann.

»Wie läuft es mit Adam?«, fragt Annika.

»Wie gestern«, antwortet Eva.

Und seufzt. Annika seufzt ebenfalls.

»Mist«, sagt Annika. »Adam ist so … nett. Ich mag ihn wirklich.«

»Ich auch«, sagt Eva. »Glaub ich wenigstens.«

EIN ANDERES MÄDCHEN

Als Adam an diesem Tag in die Schule kommt, sagt er Hallo zu Eva. Er weiß nicht genau warum. Es ist drei Tage her, seit er sie das letzte Mal begrüßt hat. Drei schreckliche Tage.

Eva sagt ebenfalls Hallo zu Adam. Das hat sie die letzten drei Tage auch nicht mehr gemacht. Als sie das sagt, wird ihm ganz warm im Bauch, und für einen kurzen Augenblick glaubt er sogar, dass alles wieder gut wird.

Mehr passiert erstmal nicht. Nach dem ersten Hallo hat Adam das Gefühl, dass Eva noch etwas sagen will und dass aller Frost und alles Eis zwischen ihnen in einem plötzlichen, sommerwarmen Windhauch schmelzen könnte.

Aber der Tag vergeht und keiner von ihnen sagt noch etwas. Adam würde ja gern, aber er weiß nicht, was. Er überlegt, ob er Eva fragen soll, mit ihm in diesen neuen, abgedrehten amerikanischen Film zu gehen, über den alle reden. Der ist nicht erst ab 18 wie alle anderen guten Filme und scheint richtig cool zu sein. Aber ihr letzter Kinobesuch war doch die absolute Katastrophe. Und wahrscheinlich hat Eva sowieso keine Lust. Und abgedrehter Humor ist wahrscheinlich auch nicht das Richtige für sie. Und …

Als Eva und Annika in der großen Pause an ihm vorbeigehen und Eva so tut, als ob sie ihn nicht sehen würde, obwohl Annika Hallo zu ihm sagt, erlischt die kleine warme Flamme Hoffnung in seinem Bauch wieder. Der Rest des Tages ist genauso kalt und schrecklich wie die Tage davor.

»Hallo, Adam!«, ruft in der letzten Pause jemand hinter ihm her.

Er dreht sich um. Das war nicht Eva. Das war Mia.

»Äh …«, sagt Adam. »Danke noch mal für die Zimtschnecken und so.«

»War nett«, sagt Mia.

»Äh …«, sagt Adam. »Äh …«

»Ja?«

»Kommst du heute Abend mit ins Kino?«

Adam und Mia stehen in der Schlange vor der Kinokasse. Mia sieht glücklich aus. Adam kann nicht genau sagen, wie es dazu gekommen ist, dass er Mia gefragt hat, aber er findet es richtig gut, mit ihr zusammen ins Kino zu gehen.

Er überlegt, ob er sie einladen soll. Eva hätte er eingeladen, wenn sie mitgekommen wäre. Aber es wäre irgendwie seltsam, Mia einzuladen. Und so ein Kinobesuch ist teuer. Er könnte ihr ja stattdessen was Süßes spendieren, das … passt irgendwie besser.

»Eva hat hoffentlich nichts dagegen, dass du mit einem anderen Mädchen ins Kino gehst?«, fragt Mia.

»Quatsch«, sagt Adam. »Gar nicht.«

Sie ist viel zu beschäftigt, mit diesem dämlichen Sebastian zu flirten!, denkt Adam.

Danach beschließt er, nicht mehr an Eva zu denken, jetzt will er einen witzigen Film gucken.

Adam spendiert Mia einen Schokoriegel und Weingummi. Sie sitzen nebeneinander im Kinodunkel, ganz dicht nebeneinander.

Mia ist eigentlich richtig … nett. Das fand Adam schon immer. Aber er hat nie weiter darüber nachgedacht, *wie* nett sie ist.

Und süß ist sie auch. Genau genommen ist sie eins der süßesten Mädchen aus der Klasse.

… natürlich nicht so süß wie Eva!

Typisch. Nun denkt er doch wieder an Eva. Und daran, wie sie an ihm vorbeigegangen ist, als ob sie ihn nicht gesehen hätte.

Wenn es sich nicht wieder einrenkt, wenn mit Eva Schluss wäre … dann würde Mia sich wahrscheinlich schon ein bisschen für Adam *interessieren.* Jedenfalls kommt es ihm so vor. Und es würde bestimmt gut klappen, wenn Adam und sie zusammenkämen. Doch, es gibt keinen Grund, was anderes anzunehmen.

… aber nicht so gut wie mit Eva! Na ja, jedenfalls, als noch alles mit Eva geklappt hat. So gut kann es mit Mia niemals werden, das geht gar nicht!

Mia lacht. Adam auch. Die Geschichte auf der Leinwand wird immer abgedrehter, der Film ist tatsächlich so verrückt, wie alle gesagt haben.

»Der ist doch klasse, der Film, oder?«, flüstert Mia.

»Ja«, flüstert Adam zurück. »Super.«

Und das findet Adam wirklich. Das ist ein Spitzenfilm. Aber … er fände ihn noch besser, wenn er ihn mit Eva zusammen sehen könnte!

EVA IST NICHT EIFERSÜCHTIG

Als Eva klein war, konnte sie richtig eifersüchtig werden, wenn zufällig Tobbe und nicht sie im Zentrum von Mamas oder Papas Aufmerksamkeit stand. Dann dachte sie sich richtig fiese Gemeinheiten aus, damit alle wieder zu ihr schauten. Evas Großmutter erzählt heute noch davon. Eva hat die Geschichten ziemlich über, und sie ist überzeugt davon, dass Großmutter maßlos übertreibt. Sie ist kein eifersüchtiger Typ.

Deshalb findet sie es auch unmöglich, dass Adam so eifersüchtig ist. Eva ist überzeugt, dass das der Grund ist, warum es momentan zwischen ihnen nicht so gut läuft. Adam sieht rot, sobald Eva Sebbe nur erwähnt, und nicht mal das ist nötig. Es reicht, wenn sie nur vom Theater redet.

Eva und Annika sitzen mal wieder auf der Faust des Riesen, jede von ihnen mit den eigenen großen Problemen beschäftigt. Eva ist wegen Adam so geknickt, dass sie sich nicht so wie sonst auf Annikas Problem konzentrieren kann. Und wahrscheinlich geht es Annika mit Evas Problem genauso, so beunruhigt wie sie wegen ihrer Eltern ist.

Oben am Himmel schreit eine Möwe. Die letzten

Sonnenstrahlen beleuchten das Schilf am Ufer unter ihnen, sodass es wie Gold schimmert. Die Luft steht still und über der Landschaft liegt eine unendliche Ruhe. Aber in Evas Bauch stürmt es.

»Warum kapiert er nicht, dass Sebbe und ich nur Freunde sind?«, sagt Eva. »Warum, warum, WARUM?«

»Weil er eifersüchtig ist«, stellt Annika fest.

»JA«, sagt Eva. »Das ist mir auch klar! Aber WARUM?«

Darauf sagt Annika nichts. Sie sollte aber etwas sagen. Und zwar, um zu zeigen, dass sie mit Eva einer Meinung ist, dass Adam mit seiner Eifersucht entsetzlich nervt.

»Ich halte das nicht länger aus«, sagt Eva. »Und grade jetzt, wo es im Theater so viel zu tun gibt! Wir proben wie die Bekloppten, damit wir uns bei der Aufführung in der Schule nicht blamieren! Sebbe macht sich wirklich Sorgen, weil Kajsa und ein paar andere ihre Texte immer noch nicht können. Und Ralf hat uns am Freitag alle zur Schnecke gemacht! Kapiert Adam denn nicht, wie nervig es ist, wenn er sich so aufführt?!«

»Sei nicht sauer, Eva«, sagt Annika. »Ich an Adams Stelle wäre wahrscheinlich auch eifersüchtig.«

Eva starrt Annika an. Jetzt ist sie wirklich sauer.

»Was willst du damit sagen?!«, faucht sie Annika an. »Nur weil ich Ophelia bin und Sebbe den Hamlet spielt?«

»Nein, aber … Na ja … Du scheinst Sebbe tatsächlich ziemlich klasse zu finden. Dauernd erzählst du, wie toll er ist, und dann seht ihr euch so oft, und …«

»Klar mag ich ihn – aber nur als KUMPEL!«

»Na ja, ich werde halt auch leicht eifersüchtig«, sagt Annika. »Darum kann ich Adam wahrscheinlich verstehen.«

Jetzt ist Eva richtig wütend. So wütend, dass ihr keine passende Antwort einfällt.

»So bin ich nun mal«, sagt Annika eilig. »An deiner Stelle wäre ich übrigens auch eifersüchtig!«

»WIESO? Warum das denn?«

Annika sieht mit einem Mal fast erschrocken aus.

»Na ja … Ich meine … Wenn ich mit Adam zusammen wäre, würde ich nicht wollen, dass er mit einem anderen Mädchen ins Kino geht, und so …«

»WAS FÜR EIN ANDERES MÄDCHEN?«

Annika sieht Eva erstaunt an.

»Das weißt du nicht? Adam war doch gestern mit Mia im Kino!«

Eine Möwe schreit. Vermutlich die gleiche Möwe wie vorhin. Eva würde am liebsten auch losschreien.

»Na und? Ist mir doch egal. Erzähl lieber, was deine Mutter erzählt hat, als sie von den Bahamas angerufen hat!«

Eva schreit innerlich. Aber sie unterdrückt den Schrei. Soll Adam doch ins Kino gehen, mit wem er will, sie hat im Augenblick sowieso keine Zeit fürs Kino. Und sie ist nicht eifersüchtig. So ein Typ ist sie nicht. Ganz im Gegenteil, sie hat Probleme mit Leuten, die eifersüchtig sind. Ach, das ist ihr doch alles egal.

Aber sie kann sich kaum darauf konzentrieren, was Annika über ihre Mutter auf den Bahamas berichtet.

DIE LÄNGSTE SEKUNDE DES UNIVERSUMS

Adam klimpert auf seiner Gitarre, klingt gar nicht so schlecht. Er ist inzwischen fast so gut, dass er in einer Band spielen könnte. Seit Eva nicht mehr in der Gitarrenstunde dabei ist, hat er viel mehr gelernt.

Aber es war lustiger, als Eva noch da war. Viel lustiger.

Sie hat versprochen, heute vorbeizukommen. Endlich! Nach der Probe. Das hat sie gesagt. Aber wahrscheinlich kann sie sich mal wieder nicht von diesem Sebastian losreißen. Oder *Sebbe*, wie sie ihn nennt. So was Bescheuertes!

Adam greift kräftig in die Saiten. So kräftig, dass er das Klingeln an der Wohnungstür überhört und Eva erst bemerkt, als sie im Flur steht.

»Früher hast du mir immer die Tür aufgemacht«, sagt Eva, als er ihr entgegengeht.

Sie klingt sauer. Er hat doch gar kein Klingeln gehört.

»Früher bist du auch viel öfter gekommen«, giftet Adam sie an.

Eva hält in ihrer Bewegung inne. Sie hat sich hingekniet, um ihre Schuhe aufzuschnüren, jetzt steht sie wieder auf.

»Soll ich wieder gehen?«

Adam antwortet nicht.

»Ist es dir lieber, wenn Mia kommt? Ist es das?«

»Hör auf«, sagt Adam.

Eva hat immer noch die Jacke und ihre Schuhe an. Adam geht an ihr vorbei und macht die Wohnungstür zu, damit die Nachbarn nicht mitkriegen, wie sie sich streiten.

»Das sähe dir ähnlich, wenn du nur eine Minute bleiben würdest«, sagt er.

»Jetzt hör mal gut zu, ich bin diejenige, die gefragt hat, ob wir uns heute treffen wollen – «

»Und wer hat all die anderen Male gefragt, seit du mit deinem Sebbe das Theaterspielen angefangen hast?«, fällt Adam ihr ins Wort. »Und wer hat nie Zeit?! Ich bin dir doch völlig egal, alles andere ist doch wichtiger als ich!«

»Adam, das ist doch Quatsch! – «

»Das ist kein Quatsch! Wir sehen uns überhaupt nicht mehr und streiten ständig!«, unterbricht Adam sie wieder. »Du bist dauernd im Theater und flirtest mit diesem – «

»GUT, DAS KANNST DU GERN HABEN, DICH NICHT MEHR MIT MIR STREITEN ZU MÜSSEN!«

Diesmal ist es Eva, die Adam unterbricht. Sie schreit noch lauter als er und bringt ihn endlich zum Schweigen. Plötzlich herrscht absolute und vollständige Stille. So als ob die Zeit stehen geblieben wäre. Eine einzige Sekunde vergeht, die längste im ganzen Universum. Adam weiß, was sie jetzt sagen wird. Und sie sagt es. Sie flüstert zwar, aber jedes Wort ist unwirklich klar und deutlich zu verstehen:

»Ich mach jetzt nämlich Schluss.«

DER TAG DER KROKODILSTRÄNEN

Früher, wenn ihre Eltern ihr eine Gutenacht-Geschichte vorlasen, konnte es passieren, dass Eva losheulte, wenn eine Geschichte glücklich endete. Sie hatte nichts gegen einen glücklichen Schluss, ganz im Gegenteil, sie fand es nur so traurig, wenn eine schöne Geschichte zu Ende war. Sie wollte, dass die Geschichten weitergingen, bis in alle Ewigkeit. Die traurigen Geschichten durften ihretwegen gern aufhören, aber von den anderen wollte sie sich nicht trennen.

Schluss. S-C-H-L-U-S-S. Schluss.

Die Tränen laufen über Evas Wangen. Die Leute, die ihr entgegenkommen, als sie die Straße entlangrennt, sehen sie verwundert an, aber sie kümmert sich gar nicht darum.

Es war ganz leicht, es auszusprechen. *Ich mach jetzt Schluss.* Die Worte waren ihr aus dem Mund geschlüpft, schnell und einfach so, und mit einem Mal war es passiert. Sie hatte es gesagt. Vier Worte, KRACH-PENG-BOING, und schon war es vorbei.

Sie hat schon öfter darüber nachgedacht, Schluss zu machen. Und sie hat überlegt, ob sie nicht besser mit einem Jungen zusammenpassen würde, der etwas älter als Adam und die übrigen Jungen aus der Klasse wäre. So einem wie Sebbe zum Beispiel.

Aber sie war nicht zu Adam gegangen, um Schluss zu machen. Absolut nicht. Sie wollte sich nicht schon wieder mit ihm streiten. Wie konnte das nur passieren?

Dieser bescheuerte Adam! Er hat sie wirklich auf die Palme gebracht. Es ist seine Schuld, dass sie das gesagt hat! *Er ist schuld, dass sie mit ihm Schluss gemacht hat!*

Nur die traurigen Geschichten dürfen ein Ende haben. Eva & Adam war aber keine traurige Geschichte. Sie ist es erst geworden. *Aber war sie so traurig, dass sie deswegen gleich enden musste?*

Es war ganz leicht, es auszusprechen. Aber hinterher ist nichts mehr leicht.

Eva sitzt auf der Faust des Riesen. Es sind keine Tränen mehr übrig. Sie versucht, wütend auf Adam zu sein, was ihr nicht sonderlich gut gelingt.

Im Moment fühlt sie sich einfach nur … leer.

Eva macht einen langen Spaziergang am Strand. Sie geht, bis ihre Beine sich weigern, noch einen einzigen Schritt zu machen. Sie setzt sich auf einen Stein am Wasser und ruht sich ein wenig aus. Danach geht sie nach Hause. Auf der Treppe vor ihrem Haus sitzt jemand.

»Annika!«

»Kann ich bei dir übernachten?«, fragt Annika.

Eva knallt dem neugierigen Tobbe die Tür vor der Nase zu. Sie sieht Annika an, dass etwas Schreckliches passiert ist. Annika wird ihr sicher gleich erzählen, worum es geht, und Eva will sie nicht drängen. Also zieht sie erst einmal die Gästematratze unter ihrem Bett hervor.

»Wie oft du wohl schon darauf geschlafen hast? Mindestens hundert Mal, oder?«

Annika sagt nichts.

»Erinnerst du dich noch an das erste Mal? Wie wir deine Eltern bearbeiten mussten, bis sie es erlaubt haben …«

Jetzt kommt es.

»Sie wollen sich scheiden lassen, Eva! Jetzt ist es sicher! Ich hab es gewusst!«

Danach kommen die Tränen. Alle Dämme brechen. Eva weiß, dass Annika zu Hause nicht geweint hat, nicht eine Träne haben ihre Eltern zu sehen bekommen. Annika hat sie runtergeschluckt und bis jetzt aufgespart. Endlich weint sie sich in Evas Armen aus, Evas Pullover wird ganz nass. Das ist der Tag der Krokodilstränen, der traurigste Tag seit der Entstehung der Welt.

Annika schläft. Sie haben noch lange geredet und Eva hat versucht, Annika ein bisschen zu trösten, indem sie ihr aufgezählt hat, wie viele ihrer Mitschüler ebenfalls geschiedene Eltern haben. Danach hat sie Annika in den schillerndsten Farben ausgemalt, wie sehr ihre Eltern sich ab jetzt anstrengen werden, um ihr zu zeigen, wie sehr sie sie mögen. Sie würden sie bestimmt mit Geschenken überhäufen, um zu beweisen, dass sich der eine mehr kümmert als der andere.

Annika hat verächtlich geschnaubt und gesagt, dass sie keine schönen Geschenke haben will, die kriegt sie ja sowieso schon. Und auf ihr Gefasel von gemeinsamem Sorgerecht pfeift sie, im Augenblick will sie bei keinem von beiden wohnen.

Arme Annika. Wie können ihre Eltern ihr das antun? Annika hat gesagt, dass sie ebenso gut sterben könne, wenn sie Eva nicht hätte. Was für ein Glück, dass sie Eva hat.

Und was für ein Glück, dass Eva Annika hat. Auch wenn Annika noch nichts davon weiß.

Dies ist wirklich der Tag der Krokodilstränen. Der Tag, an dem alles zu Ende ist. Aber muss denn alles ein Ende haben? Gibt es ein dämliches Gesetz, dass das vorschreibt?

In manchen Fällen ist es vielleicht besser, wenn etwas zu Ende geht. Annikas Eltern waren schon immer ein bisschen eigenartig, vielleicht hat es nie richtig funktioniert zwischen den beiden. Und Eva kann sich schließlich auch nicht bis in alle Ewigkeit weiter mit Adam streiten!

Aber vielleicht hätten sie lieber mit dem Streiten aufhören sollen. Anstatt aufzuhören, zusammen zu sein.

Eva sieht Annika an. Sie schläft. Sie schläft und weiß noch nichts. Obwohl sie Evas beste Freundin ist. Aber Eva mag sie jetzt nicht wecken, Annika hat im Moment genügend eigene Probleme und Sorgen, da braucht sie sich nicht auch noch mit Evas zu belasten.

»Annika«, flüstert Eva. »Schläfst du schon …?«

Annika bewegt sich leicht.

»Nein, noch nicht ganz«, flüstert sie.

»Adam und ich haben Schluss gemacht«, flüstert Eva.

So, jetzt weiß es Annika.

Das ist ihm doch völlig egal. Schnurzpiepe. Na gut, es ist ziemlich lange her, dass Adam das letzte Mal gute Laune hatte. Er war auch schon mal glücklicher. Aber, was soll's.

»Schön, dass du endlich wieder gesund bist«, sagt Alexander.

»Ja«, sagt Adam. »Super.«

»Das mit Eva tut mir Leid.«

»Was soll's.«

»Mädchen sind schon sonderbar.«

»Ja, das kann man wohl sagen.«

»Schade, jedenfalls. Ich meine ... Ihr wart ja ziemlich lange zusammen, und überhaupt ...«

»Was soll's«, sagt Adam.

Ist ihm doch egal.

»Bist du krank geworden, weil deine Freundin mit dir Schluss gemacht hat?«, ruft Jonte Adam zu. »Hat der Onkel Doktor dein Herz wieder repariert?«

Die Zwillinge lachen, aber sonst lacht niemand.

»HALT DIE KLAPPE, DU IDIOT!«, schreit Alexander. Adam hat ihn noch nie so wütend erlebt.

»Du kannst einem wirklich Leid tun, Jonte«, sagt

Linda. »Dein Erbsenhirn kann kein Doktor der Welt reparieren!«

Adam war drei Tage nicht in der Schule. Aber er war nicht krank, auch wenn er das seinen Eltern gegenüber behauptet hat. Bauchschmerzen. Übelkeit. Kopfschmerzen. Kann nicht in die Schule gehen, wenn ich mich so mies fühle. Das hat er zu seinen Eltern gesagt.

Er konnte einfach nicht. Seine Beine wollten ihn nicht zur Schule tragen. Es war ihm zwar alles egal, aber er hatte einfach keine Lust zu gehen. Und auch zu nichts anderem. So geht es ihm immer noch. Er hat zu nichts Lust.

»Kümmer dich nicht um Jonte«, sagt Alexander.

»Ach«, sagt Adam. »Ist mir doch egal.«

Jonte erntet wütende Blicke. Er hat sich blamiert. Es tut gut, dass diesmal alle zu Adam halten. Das geschieht Jonte ganz recht.

Obwohl es nicht wirklich wichtig ist. Adam ist alles egal. Jonte und Eva sind ihm beide völlig egal.

Adam ist cool. Er geht an Eva vorbei, in weniger als drei Metern Entfernung, ohne eine Miene zu verziehen. Sie könnte genauso gut jemand sein, den er noch nie zuvor gesehen hat.

Danach sitzt er im Unterricht und schielt kein einziges Mal in ihre Richtung. Er fühlt sich stark und entschlossen und vor lauter Coolheit unangreifbar. Er ist nicht frustriert. Und gesund ist er auch wieder. Er hat weder Bauch- oder Kopfschmerzen, noch ist ihm schlecht.

Aber ganz tief in seinem Herzen spürt er Stiche, die kein Herzschmerzdoktor der Welt heilen kann.

DIE WELT GEHT AN EINEM DONNERSTAG UNTER

Als Eva klein war, war alles so einfach. So kommt es ihr jetzt jedenfalls vor. Klar war sie manchmal schrecklich traurig, und natürlich hat sie zwischendurch geglaubt, die Welt ginge unter. Was sie aber nicht tat.

Der Weltuntergang hatte auf sich warten lassen. So lange, dass sie irgendwann nicht mehr daran geglaubt hatte. Aber an einem gewöhnlich tristen und in alle Ewigkeit verfluchten Donnerstag vor ungefähr zwei Wochen war er doch gekommen. Peng Boing Krach, und alles war vorbei gewesen. Und sie selbst hatte den ganzen Mist in die Luft gejagt.

»Sein oder nicht sein«, sagt Sebastian mit einem Totenkopf in der ausgestreckten Hand.

»Schon besser!«, ruft Ralf und wedelt mit den Armen wie eine durchgedrehte Windmühle. »Weiter so! Ihr werdet die Leute am Freitag im Sturm erobern!!!«

Sebbe ist gut. Was das Theaterspielen angeht.

Sein oder nicht sein. Zusammen oder nicht zusammen sein.

Nicht mit Adam zusammen sein.

Nach der Probe fragt Sebastian Eva, ob sie Lust hat, mit zu ihm zu kommen. Hätte er das vor zwei Wochen gefragt, hätte sie mit klopfendem Herzen Ja gesagt. Jetzt zögert sie.

»Komm schon! Nur kurz?«

»Nein«, sagt Eva. »Heut hab ich keine Zeit. Ich muss noch lernen.«

Vor zwei Wochen war sie so gut wie sicher gewesen, nicht mehr in Adam verliebt zu sein. Und sie war an Sebbe interessiert gewesen, auch wenn sie das Annika gegenüber nicht zugeben wollte. Wahrscheinlich sogar

interessierter, als sie es sich selbst gegenüber zugeben wollte. Aber jetzt ist sie nicht mehr so sicher.

Er ist nett. Und sieht gut aus. Ein bisschen zu selbstsicher vielleicht. Aber es ist spannend, sich mit ihm zu unterhalten. Und … er ist anders als Adam.

Was für ein Glück, dass sie das Theater hat. Das und Annika sind das Einzige, womit sie momentan die Zeit rumkriegt. Sie versucht, sich nur auf das Theaterstück zu konzentrieren oder sich lustige Sachen auszudenken, mit denen sie Annika ablenken kann, damit die nicht nur über die Sache mit ihren Eltern grübelt. Aber kaum denkt Eva mal nicht an Annika oder ans Theater, muss sie an Adam denken. Ein zäher Gedankenbrei, der keinen Sinn ergibt, schwappt dann in ihrem Kopf herum. Die Tage schleppen sich dahin, und nichts verändert sich oder wird besser, so wie sie es insgeheim gehofft hat.

Sie hat Schluss gemacht. Es ist ihre Schuld, dass die Welt untergegangen ist, und nichts, rein gar nichts, kann daran etwas ändern.

ERBSENSUPPE UND ANDERE PROBLEME

Adam will nicht. Vor zwei Wochen hat Eva mit ihm Schluss gemacht und morgen werden sie und dieser dämliche Sebbe in der Schulaula ihr dämliches Stück zusammen aufführen.

Danach ist Schuldisco, und da werden dann alle darüber reden, wie gut Eva und Sebbe waren. Und Sebbe wird mit Eva tanzen, und wenn ein langsames Stück kommt, werden sie vor Adams Nase und den Augen der ganzen Schule rumknutschen.

Diesen Spaß gönnt er ihnen nicht. Adam hat nämlich nicht vor, zur Schuldisco zu gehen.

Nicht, dass es ihm was ausmachen würde. Es ist ihm egal.

Adam steht in der Essensschlange. Weiter vorn in der Schlange steht Eva und unterhält sich mit Kajsa. Es riecht nach Erbsensuppe. Vielmehr, es stinkt nach Erbsensuppe. Warum gibt es an so einem Tag überhaupt eine Schlange? Adams Vater liebt Erbsensuppe. Vielleicht sollte Adam ihm seine Portion mit nach Hause bringen? Adam jedenfalls würde am liebsten nur Knäckebrot essen.

»Nur ein bisschen, bitte«, sagt Eva.

Sie bekommt einen riesigen Schöpflöffel von dem gelb-schleimigen Brei aufgetan. Die Küchenfrauen sind gnadenlos.

»Nur ein bisschen, bitte«, sagt auch Adam, als er an der Reihe ist, und kriegt eine noch größere Portion.

Auf dem Weg zu Alexanders Tisch hört er Kajsas aufgeregte Stimme.

»Hör auf, Eva! Natürlich musst du!«

Adam kann es sich nicht verkneifen, hinter ihrem Tisch stehen zu bleiben und zu lauschen. Sie bemerken ihn nicht. Er spitzt die Ohren, um mitzubekommen, was Eva antwortet.

»Ich weiß, dass ich muss.«

»Wir haben seit Monaten geprobt! Ohne dich läuft nichts! Du kannst jetzt nicht einfach abspringen!«

»Ich weiß«, sagt Eva. »Aber ich hab plötzlich das Gefühl, dass ich unmöglich mit Sebbe auf der Aulabühne stehen kann und …«

»Warum das denn nicht?!«

»Es ist irgendwie so komisch. Dass Adam da unten sitzt und so.«

»Warum denn? Du musst, Eva!«

»Ich weiß.«

Adam setzt sich zu Alexander. Er starrt auf seinen Teller, ohne was zu sehen.

»Hauptsache, du kotzt mich nicht an«, sagt Alexander.

»Was?«

»Aber du hast Recht. Die Erbsensuppe sieht heute wirklich rekordverdächtig ekelig aus!«

ZWEI POLNISCHE WORTE IN DER NACHT

Als Eva klein war, hat sie einmal mit der ganzen Familie einen Ausflug nach Dänemark gemacht. Damals hat Eva ihre ersten ausländischen Wörter gelernt. Pølse, was so viel wie Bockwurst heißt, und fløde, das heißt Sahne. Die Pølse war knallrot, aber lecker. Und die Dänen sprachen irgendwie so knödelig, als ob sie den Mund voll Pølse hätten.

Inzwischen kann Eva jede Menge ausländische Wörter. Ein paar dänische, ein paar norwegische, zwei unanständige finnische Sprichwörter und viele englische Wörter. Eva ist in Englisch die Zweitbeste der Klasse. Und dann kann sie noch zwei polnische Wörter, die Adam ihr beigebracht hat. *Kocham cię*. Aus unerfindlichen Gründen haben sich an diesem Morgen ausgerechnet diese beiden Worte in ihrem Hirn breit gemacht, obwohl es eigentlich nur Theatertext enthalten sollte.

Heute ist sie Ophelia. Ophelia schminkt sich. Ophelia zieht ihre Kleider an. Ophelia macht sich bereit, vor einer mit freitagsmüden und unruhigen Schülern voll gestopften Aula dem dänischen Prinzen Hamlet entgegenzutreten.

»Wie geht es dir, Ophelia?«, fragt Hamlet. »Hast du Lampenfieber? Na, wird schon gut gehen!«

Ophelia hatte gar keine Zeit, nervös zu werden. Sie doch nicht. Nicht wegen des Stückes. Nicht, weil sie sich Sorgen macht, wie man Skakespeare vor einer mit freitagsmüden Schülern voll gepfropften Aula spielen soll. Aber ganz tief in Ophelias Innern steckt ein Mädchen namens Eva, und das ist nervös. Eva überlegt, was Adam wohl denkt, wenn er sie mit Sebbe zusammen auf der Bühne sieht. Warum, weiß sie auch nicht. Hamlet und Ophelia machen schließ-lich nichts Verbotenes. Will sagen, keine Knutscherei. Außerdem ist Eva nicht mehr mit Adam zusammen, sie kann also so viel rumknutschen wie sie will und mit wem sie will, ohne dass ihn das was anginge. Aber warum hat sie dann das Gefühl, Adam zu verraten, weil sie die Ophelia spielt?

Sie will nicht, aber ihre Beine gehen trotzdem mit ihr auf die Bühne raus. Und dort läuft alles glatt. Sebbe spielt natürlich super, Kajsa ist ein bisschen peinlich, aber nicht mehr als sonst, die anderen sind ganz annehmbar und Eva spielt gut. Richtig gut sogar. Außer den Unruhigsten und Müdesten scheinen sich fast alle Mühe zu geben, der Handlung auf der Bühne zu folgen. Aber wo ist Adam?

Adam rennt. Er weiß nicht warum, er begreift gar nichts mehr. Er wollte doch nicht dorthin, und jetzt rennt er um sein Leben.

Er ist spät dran. Zu seinen Eltern hatte er gesagt, er hätte Bauchschmerzen, wahrscheinlich eine Magendarmgrippe. Man muss sich schließlich ab und zu was Neues ausdenken. Aber mit einem Mal ist ihm klar geworden, dass er nicht einfach zu Hause bleiben kann wie an dem Tag, als sie Schluss gemacht haben. Und jetzt rennt er, den ganzen Weg bis zur Schule, in die Aula zu Hamlet, diesem gelackten Hamlet, der ihm die Freundin ausgespannt hat.

Neben Mia ist noch ein Platz frei. Er setzt sich, schnaubend, der Schweiß läuft ihm über den Rücken. Mia lächelt ihn an, aber Adam hat nur Augen für die Bühne. Er erkennt schnell, dass Eva ihre Sache gut macht, aber jedes Mal, wenn sie den Mund aufmacht, hat er Angst, dass etwas schief gehen könnte. Was kümmert ihn das?

Plötzlich entdeckt sie ihn. Sie sieht ihn an, dann wandert ihr Blick zu Mia. Und da kommt sie durcheinander. Sebbe sagt etwas zu ihr und sie antwortet nicht, obwohl alle es merken, dass sie jetzt an der Reihe ist, etwas zu sagen. Es kommt ihr vor, als ob sie taub wäre!

Julia kommt zu Eva. Der Techno-Rhythmus übertönt, was sie sagt, also versucht sie es noch einmal.

»Du warst wirklich toll heute, Eva!«

Eva steht am Rand der Tanzfläche und unterhält sich mit Annika. Einer nach dem anderen kommt vorbei und lobt sie und die anderen Mitspieler. Na ja, Jonte behauptet, das Stück wäre ätzend langweilig gewesen und alle, die mitgespielt hätten, wären Weicheier. Aber außer von Jonte wird Eva von allen gelobt. Obwohl sie den Faden verloren hat, als sie Mia neben Adam hat sitzen sehen. Obwohl sie ganz wirr im Kopf war, ist es gut gegangen. Ganz offensichtlich.

Nur Adam hat nicht gesagt, wie er es fand. Er hat noch gar nichts zu ihr gesagt. Und jetzt tanzt er mit Mia. Mit *ihr* redet er. In diesem Augenblick flüstert er ihr gerade was ins Ohr. Vielleicht flüstert er ja … *kocham cię* …

Alexander fordert Annika auf, die übers ganze Gesicht strahlt. Eva steht jetzt allein da. Als Sebbe sich neben sie stellt, fragt sie ihn, ob er tanzen möchte, und das möchte er. Sie wird es Adam schon zeigen!

Adam steht allein da mit einer Cola in der Hand. Es wird ein langsames Stück gespielt. Er sieht, dass Mia in seine Richtung guckt, aber er hat keine Lust mehr, mit ihr zu tanzen. Grade tanzen Eva und Sebbe an ihm vorbei, so nah, dass er sie berühren könnte. Sie tanzen ganz dicht zusammen. Das ist der vierte Tanz hintereinander, den Eva mit Sebbe tanzt.

Sofia und Thomas tanzen vorbei. Sie küssen sich. Sie sind zur gleichen Zeit zusammengekommen wie Adam und Eva. Und sie sind immer noch zusammen.

Alexander hat es endlich geschafft, Linda aufzufordern. Er sieht selig aus und hält sie gut fest. Wo ist eigentlich Lindas Freund? In diesem Moment würde man nicht darauf kommen, dass sie sich grundsätzlich nichts aus Jungen macht, die nicht mindestens zwei Jahre älter sind als sie!

Eva und Sebbe tanzen zum zweiten Mal an Adam vorbei. Er dreht sich um und geht zum Ausgang.

Jemand klopft Eva auf die Schulter. Sebbe lässt sie widerstrebend los. Es ist Annika.

»Ich geh jetzt, Eva.«

Eva geht mit ihr von der Tanzfläche.

»Warum denn? Warte!«

»Sieh dir doch mal Linda an«, sagt Annika.

Eva entdeckt Linda auf der Tanzfläche. Sie steht da und knutscht mit Alexander!

»Sie ist nicht mal in ihn verknallt. Das macht sie nur, um ihren Exfreund eifersüchtig zu machen! So eine blöde Kuh!«

Stimmt ja. Zwischen Linda und dem Typen aus der Achten ist Schluss. Und jetzt küsst sie den Idioten Alexander, nur um ihrem Ex-Freund eins auszuwischen. Das ist eindeutig zu viel.

»Also tschüss«, sagt Annika. »Das verstehst du doch, oder?«

Eva versteht. Annika ist immer noch in Alexander verknallt, obwohl sie gesagt hat, dass sie glaubt, sie wäre es nicht mehr. Da hat sie falsch geglaubt. Jedenfalls ist sie in keinen anderen Jungen verknallt genug, um zu bleiben. Eva sieht Annika zur Garderobe gehen – und da entdeckt sie Adam, der bereits seine Jacke angezogen hat und auf dem Weg nach draußen ist!

Plötzlich versteht Eva. Das ist alles ganz schrecklich schief gelaufen. Sie hat genau das Gleiche gemacht wie Linda. Sie hat vor Adams Nase eng umschlungen mit Sebbe getanzt, nicht weil sie in Sebbe verknallt ist, das ist sie nämlich nicht! Sondern um Adam eifersüchtig zu machen!

Und jetzt geht er. Eva hat Adam den Abend verdorben und jetzt geht er. *Er darf nicht gehen!*

Sie rennt zur Garderobe, drängelt sich vor und kassiert ein paar harte Knuffe. Sie reißt ihre Jacke vom Haken und ist mit wenigen Schritten draußen.

Sie schreit so laut, als ginge es um ihr Leben. Und das tut es ja auch.

»ADAM! WARTE AUF MICH! WAAAARTE!!!«

Sie rennt. Die Nachtluft ist klar und der Mond leuchtet auf den Bürgersteig. Da vorne ist er. Sie ruft noch einmal, diesmal noch lauter:

»KOCHAM CIĘ, ADAM! KOCHAM CIĘ!«

Er bleibt stehen. Er dreht sich um. Er hat sie gehört!

Endlich hat sie ihn eingeholt. Und sie sagt es noch einmal, diesmal flüsternd.

Er steht ganz still da, unsicher. Sie wartet.

Nach einer Ewigkeit, die vielleicht vier Sekunden dauert, murmelt er die gleichen zwei Worte, so leise, dass es kaum zu verstehen ist. Sie greift nach seiner

Hand und er lässt es geschehen. Und dann gehen sie los. In ihrem Kopf gibt es nur noch die zwei polnischen Worte, die einzigen, die sie kann: »Kocham cię! Ich liebe dich!«

MÅNS GAHRTON, geboren 1961, studierte Jura, bevor er anfing, in einem Verlag zu arbeiten und selbst zu schreiben. Zusammen mit dem Illustrator und Comic-Zeichner **JOHAN UNENGE**, geboren 1963, hat er mit den Geschichten um »Eva & Adam« einen Riesenerfolg gelandet. Zuerst als Comics erschienen, sind die Bücher mittlerweile weit über die Grenzen Schwedens bekannt und erscheinen jetzt endlich auf Deutsch.